An Fear nárbh fhéidir
a Fheiscint

H.G. Wells

Séamus Ó Coileáin
a chuir culaith Ghaeilge air

An Fear nárbh fhéidir a Fheiscint

Foilsíodh an leabhar seo i mBéarla den chéad uair sa bhliain 1897 faoin teideal
The Invisible Man

Cóipcheart an leagain Ghaeilge seo (2020) © Séamus Ó Coileáin

&  5abhairín Reo

Ealaín an Chlúdaigh © joelamatguell.com

Is mór is buíoch leis an aistritheoir súil ghéar Sheáin Uí Laoi (UCC) agus cúnamh
Stewart O'Connell @ Johnswood Press

ISBN: 978-1-9162801-1-3

Is cuid de chlóbhualadh teoranta uimhrithe 150 cóip é seo:

Uimhir ...41

Clóbhualadh agus ceanglaíodh an t-eagrán seo in Éirinn le:

Johnswood Press Ltd.
Páirc Ghnó Airton
Tamhlacht
Baile Átha Cliath 24

Do mhic léinn an aistriúcháin

CAIBIDIL I
TEACHT AN STRAINSÉARA

Tosach mhí Feabhra a bhí ann agus bhí gaoth fheantach ag síobadh an tsneachta roimpi le linn stoirm shneachta dheiridh na bliana, nuair a tháinig an strainséar de shiúl na gcos ó stáisiún traenach Dhoire Driseáin agus mála láimhe dubh faoina ascaill aige. Bhí sé clúdaithe ó bhonn go baithis, agus níobh fhéidir a aghaidh a fheiscint beag ná mór faoina hata bog feilte seachas a chaincín lonrach. Bhí an sneachta ina charnáin ar a ghuailne agus ar a ucht agus ina chírín bán ar a mhála. Tháinig sé isteach go tuisleach, gan ach an dé deiridh ann, sa tábhairne 'An Cóiste agus Capaill' agus chaith sé uaidh a mhála. "Tinteán," ar seisean, "in ainm Chroim! Seomra agus tinteán!" Shatail sé a chosa ar urlár an tábhairne agus chroith sé de an sneachta, agus lean sé Mrs de Hál isteach i bparlús na lóistéirí chun an margadh a dhéanamh. Agus gan de chur in aithne ach an méid sin féin agus cúpla réal a chaith sé ar an mbord, tugadh lóistín sa tábhairne dó.

Las Mrs de Hál tine sa seomra, d'fhág sí ann é agus d'imigh sí léi chun béile a ullmhú dó í féin. Ba rí-annamh a thagadh lóistéir go Baile Ipa i rith an gheimhridh, gan trácht ar dhuine nach mbeadh ag margáil faoi chostas an lóistín, agus bhí sí meáite gan an deis a scaoileadh uaithi. Ach a raibh an bágún á chócaráil, agus ar gríosadh Milí, an cailín aimsire támh, chun oibre le roinnt eascainí, thug sí éadach boird, plátaí agus gloiní isteach sa pharlús agus leag sí amach go néata ar an mbord iad. Cé go raibh an tine ina caor, b'ionadh léi an cuairteoir a fheiscint ina sheasamh saseomra agus a chóta agus a hata air go fóill agus é ag faire uaithi amach an fhuinneog ar an sneachta a bhí ag titim sa chlós lasmuigh. Bhí a lámha, faoi lámhainní, fáiscthe le chéile laistiar dá dhrom agus an chuma air go raibh sé ag déanamh a mharana. Thug sí faoi deara go raibh an sneachta a bhí ar ghuailne a chóta fós ag leá agus ag sileadh anuas ar an mbrat urláir. "An dtógfaidh mé uait do chóta agus do hata, a dhuine uasail," ar sise, "agus cuirfidh mé ar triomú sa chistin iad?"

"*No*," ar seisean gan tiontú.

N'fheadair sí ar chuala sí i gceart é, agus bhí sí ar tí an cheist a chur air athuair.

Thiontaigh sé a cheann agus d'fhéach sé uirthi thar a ghualainn. "B'fhearr liom a gcoimeád orm," ar seisean, agus chonaic sí go raibh spléaclaí móra gorma, ag a raibh taobhghloine, agus féasóg leicinn air a d'fholaigh a leicne agus a aghaidh.

"Ceart go leor, a dhuine uasail," ar sise. "Fút féin atá sé. Beidh an seomra níos teo gan ró-mhoill."

Níor thug sé aon fhreagra uirthi, agus thiontaigh sé chun na fuinneoige arís, agus ó tharla gur bhraith Mrs de Hál go raibh sí ag cur isteach air, leag sí na giúirléidí eile boird síos go tapaidh agus bhrostaigh sí amach as an seomra. Nuair a d'fhill sí arís bhí sé ina sheasamh ann fós, mar a bheadh dealbh chloiche; bhí dronn ar a dhrom, bhí bóna a chóta ina sheasamh, bhí duilleog a hata lúbtha síos ar a aghaidh aige agus í ag sileadh leá-uisce, rud a d'fhág go raibh a aghaidh agus a chluasa folaithe aige. Leag sí an bagún agus

8

na huibheacha ar an mbord go diongbháilte agus arsa sise leis, "Seo dhuit do lón, a dhuine uasail."

"Go raibh maith agat," ar seisean sula raibh deireadh ráite aici, agus níor bhog sé nó go raibh sí ag dúnadh an dorais. Thiontaigh sé ar a shála ansin agus tháinig sé anall chuig an mbord faoi dheifir.

Chuaigh sí laistiar den bheár ar a bealach chun na cistine agus chuala sí torann anois agus arís go rialta. "Cling, cling, cling," mar a bheadh spúnóg á greadadh go gasta ar fud babhla. "An cailín sin!" ar sise. "Dar fia! Dheineas dearúd glan air. Cén mhoill atá uirthi!" Leis sin, chuir sí féin críoch le meascadh an mhustaird agus thug sí íde béil do Mhilí as a cuid moilleadóireachta. Chócaráil sí féin an bágún agus na huibheacha, leag sí an bord agus rinne sí gach ní eile, san achar ama céanna a bhí Milí (cúnamh mo thóin!) ag plé leis an mustard. Agus lóistéir nua acu a bhí ag iarraidh fanacht leo! Ansin, líon sí próca an mhustaird agus leag sí go cúramach agus go beacht ar an dtráidire dubh agus óir é agus thug sí isteach sa pharlús é.

Chnag sí agus isteach léi go pras. Agus í ag dul isteach ghluais an cuairteoir go tapaidh, agus chonaic sí rud éigin bán á chur i bhfolach laistiar den bhord aige. Bhí an chuma ar an scéal go raibh rud éigin á bhaint den urlár aige. Leag sí an próca mustaird ar an mbord de phlab, agus ansin chonaic sí go raibh a fhorchóta agus a hata bainte de aige agus ar crochadh ar chathaoir os comhair na tine, agus go raibh péire buataisí fliucha leagtha róghar do ráille iarta an tinteáin. Chuaigh sí anonn chuig na rudaí sin.

"Is dócha gur féidir liom a dtabhairt liom anois chun a dtriomaithe," ar sise go diongbháilte.

"Fág agam an hata," arsa an cuairteoir, faoina fhiacla, agus nuair a thiontaigh sí chuige chonaic sí go raibh a cheann ardaithe aige agus go raibh sé ina shuí ansin ag féachaint uirthi.

Stán sí air ar feadh tamaillín, gan focal a rá.

Bhí éadach bán - ciarsúr boird a thug sé leis - ar crochadh aige os comhair leath íochtair a éadain, rud a d'fhág go raibh a bhéal agus a ghialla i bhfolach aige agus go raibh a ghlór maolaithe. Ach níorbh é sin a bhain stangadh as Mrs de Hál. Ba é ab ábhar iontais di a éadan uile os cionn na spéaclaí gorma a bheith clúdaithe le bindealán bán, agus a chluasa a bheith faoi bhindealán eile agus gan a bheith le feiscint dá aghaidh ach biorshrón bhándearg. Bhí an tsrón sin geal, bándearg agus lonrach faoi mar a bhí nuair a chéadchonaic sí é. Bhí seaicéad dúdhonn bheilbhite air agus a bhóna ard, dubh, a raibh ciseal línéadaigh air, um a mhuineál aige. Bhí gruaig thiubh dhubh ag gobadh amach faoin mbindealán agus idir na fillteacha mar a bheadh adhaircíní agus eireabaill, rud a d'fhág cuma an-aisteach air. Ní raibh aon tsúil aici an cloigeann sin faoi bhindealáin a fheiscint ná an glór maolaithe sin a chloisteáil, gur fágadh ina staic í.

Níor bhain sé anuas an ciarsúr agus chonaic sí go raibh lámhainn dhonn á caitheamh aige agus go raibh sé ag stánadh uirthi lena spéaclaí gorma. "Fág agam an hata," ar seisean go soiléir tríd an éadach bán.

Tháinig sí chuici féin ón stangadh a baineadh aisti. Leag sí an hata ar an gcathaoir os comhair na tine. "Ní raibh a fhios agam," ar sise, "go—" agus stad sí le teann náire.

"Go raibh maith agat," ar seisean agus é ag féachaint uirthi, ar an ndoras agus ar ais uirthi arís.

"Triomóidh mé láithreach iad," ar sise, agus thug sí léi na héadaí amach as an seomra. Thug sí sracfhéachant arís ar a chloigeann bánchlúdaithe agus ar a spéaclaí gorma athuair agus í ag imeacht amach an doras; ach bhí an ciarsúr os comhair a aghaidhe i gcónaí aige. Tháinig ballchrith uirthi, de bheagán, agus í ag dúnadh an dorais ina diaidh, agus bhí an t-ionadh le feiscint ar a haghaidh. "N'fheadar!" ar sise de chogar. "Dar fia!" Théaltaigh sí léi chun na cistine, agus bhí a hintinn chomh gafa sin nár fhiafraigh sí de Mhilí a raibh ar bun aici *anois*, nuair a bhain sí an chistin amach.

Shuigh an cuairteoir ann agus é ag éisteacht le torann a choiscéimeanna ag maolú. D'fhéach sé go fiosrach chun na fuinneoige sular bhain sé anuas an ciarsúr, agus lean sé air ag ithe. Chuir sé bolgam bia ina bhéal, d'fhéach sé go hamhrastúil ar an bhfuinneog, thóg sé bolgam eile, ansin d'éirigh sé ina sheasamh agus, leis an gciarsúr ina láimh aige, shiúil sé trasna an tseomra agus tharraing sé anuas an dallóg go barr an mhuislín bháin a chlúdaigh pánaí íochtair na fuinneoige. Fágadh an seomra faoi chlapsholas. D'fhill sé ansin ar an mbord agus é ní ba shuaimhní ann féin agus lean sé air ag ithe.

"Bhain timpiste nó obráid nó a leithéid den diabhal bocht," arsa Mrs de Hál. "Bhain na bindealáin sin stangadh asam, táim á rá!"

Chuir sí ní ba mhó guail ar an dtine, d'oscail sí amach an cnagadán, agus leath sí cóta an taistealaí air. "Agus na spéaclaí sin! Ba mhó de chuma clogaid tumadóireachta é ná de dhuine daonna!" Leag sí scaif an fhir ar choirnéal an chnagadáin. "Agus an ciarsúr lena bhéal mar sin an t-am go léir. Agus é ag caint tríd! ... B'fhéidir go ndearnadh dochar dá bhéal leis - b'fhéidir."

Thiontaigh sí mar a dhéanfadh duine a chuimhneodh ar rud éigin. "A Mhaighdean Bheannaithe!" ar sise, "nach bhfuil na fataí sin nite agat *go fóill*, a Mhilí?"

Nuair a chuaigh Mrs de Hál ar ais chun na gréithre a bhailiú, dearbhaíodh di nárbh fholáir go ndearnadh dochar dá bhéal sa timpiste a shamhlaigh sí dó óir bhí sé ag ól píopa, agus fad a bhí sí sa seomra níor bhain sé an scaif a bhí casta um leath íochtair a éadain aige ionas go bhféadfadh sé gob an phíopa a chur ina bhéal. Ach ní hamhlaidh go raibh dearúd déanta aige ar an bpíopa óir chonaic sí é ag féachaint air agus é ag múchadh. Bhí sé ina shuí sa chúinne agus a dhrom le dallóg na fuinneoige aige agus ba lú a dúirt sé anois ná riamh, in ainneoin a sháith bia, dí agus teasa a bheith aige. Bhí lasracha na tine ag glioscarnach go dearg ar a spéaclaí a bhí dubh go dtí sin.

"Tá bagáiste agam ag stáisiún Dhoire Driseáin," ar seisean agus d'iarr sé uirthi socrú a dhéanamh go dtabharfaí chuige é. Sméid sé a chloigeann go béasach leis an bhfreagra a thug sí.

12

"Amáireach?" ar seisean. "Níl aon bhealach chun a bhfála roimhe sin?" ar seisean agus bhí díomá air nuair a dúirt sí nach raibh. "An bhfuil tú lánchinnte? An bhfuil aon fhear le capall agus cairt a rachadh anonn á n-iarraidh?"

Mhothaigh Mrs de Hál nach raibh sé sásta, d'fhreagair sí a chuid ceisteanna agus rinne sí comhrá leis. "Tá an bóthar cois gleanna géarchrochta, a dhuine uasail," ar sise agus ceist na cairte á freagairt aici; agus ansin nuair a bhí tost sa chaint, ar sise: "Iompaíodh carráiste bunoscionn ann, breis is bliain ó shin. Maraíodh fear agus an cóisteoir. Tarlaíonn timpistí i bhfaiteadh na súl, nach dtarlaíonn?"

Ach níor mealladh an cuairteoir chomh héasca sin. "Tarlaíonn," ar seisean trína scaif, agus é ag stánadh uirthi trína spéaclaí dorcha.

"Agus glacann sé tamall ort téarnamh, nach nglacann? ... Féach mac mo dheirféar féin, Tomás, a ghearr a lámh le speal; ní raibh ann ach gur thit sé anuas uirthi de thuisle sa mhóinéar agus, go bhfóire Dia orainn, bhí sé trí mhí ag téarnamh. Ba dheacair a chreidiúint. Tá eagla speile orm dá bharr, a dhuine uasail."

"Tuigim duit," arsa an cuairteoir.

"Bhí eagla air, tráth, go mbeadh air dul faoi scian, bhí sé chomh holc sin, a dhuine uasail."

Rinne an cuairteoir gáire giorraisc; griotháil gáire nár bhain a bheola amach. "An mar sin é?" ar seisean.

"Sin mar a bhí, go deimhin, a dhuine uasail. Níorbh aon chúis gháire é dóibhsean a bhí ag tindeáil air, mar a bhí mise - ó tharla go raibh cúram a dóthana ar mo dheirfiúr leis na leanaí beaga. Bhí bindealáin le cur air, a dhuine uasail, agus bindealáin le baint de. Mura miste leat mé a fhiafraí díot, a dhuine uasail—"

"Ar mhiste leat lasáin a fháil dom?" arsa an cuairteoir go giorraisc. "Lig mé as an píopa."

Cuireadh isteach ar Mrs de Hál i lár cainte. Ba mhíbhéasach an mhaise é tar éis di an oiread sin a insint dó. Lig sí osna aisti, ach ansin chuimhnigh sí ar an dá réal. Chuaigh sí sa tóir ar lasáin.

"Go raibh maith agat," ar seisean, agus leag sí síos iad, agus thiontaigh sé a ghualainn léi agus stán sé amach an fhuinneog athuair. Ba dhána an mhaise é. Ní foláir nó gur chuir an chaint ar obráidí agus bindealáin isteach air. Mar sin féin, ní raibh sé de dhánaíocht inti a leithéid a rá leis. Ach chuir an tslí a dhéanadh sé neamhaird di, chuir sé isteach uirthi, agus ba í Milí a fuair an íde an tráthnóna sin.

D'fhan an cuairteoir sa pharlús go dtí a ceathair a chlog, gan oiread na fríde de leithscéal a thabhairt di cur isteach air. D'fhan sé ann gan bogadh formhór an ama; é ina shuí sa seomra a bhí ag dul i ndoircheacht agus ag ól a phíopa le solas na tine – é ina chodladh, seans.

An té a bheadh ag éisteacht go géar, seans go gcloisfeadh sé ag gríosadh na tine babhta nó dhó é, agus ar feadh cúig nóiméad as a chéile, chloisfí ag siúl anonn is anall é. Bhí an chuma ar an scéal gur ag caint leis féin a bhí sé. Rinne an chathaoir uilleann gíoscán nuair a shuigh sé inti athuair.

CAIBIDIL II
A CHÉADCHEAP MR TADHG Ó hIONFRAÍ DEN STRAINSÉIR

Ar a ceathair a chlog, agus é mós dorcha agus Mrs de Hál ag cruinniú a misnigh chun dul isteach agus a fhiafraí den chuairteoir an mbeadh tae aige, tháinig Tadhg Ó hIonfraí, fear na gclog, isteach sa tábhairne. "A Thiarcais! A Mhrs de Hál," ar seisean, "ach ní haon aimsir do bhuataisí tanaí í!" Bhí an sneachta ag titim ina shlaodanna lasmuigh.

D'aontaigh Mrs de Hál leis, agus ansin thug sí faoi deara go raibh a mhála leis. "Ó tharla go bhfuil tú anseo, anois a Mhr. Tadhg," ar sise, "ar mhiste leat súil a chaitheamh ar an seanchlog sa pharlús? Tá sé ag imeacht agus buaileann sé go breá, ach ní bhogfann an lámh bheag óna 6."

Chuaigh sí roimhe amach anonn chuig doras an pharlúis, chnag sí agus isteach léi.

Chonaic sí, ar oscailt an dorais di, go raibh an cuairteoir ina shuí sa chathaoir uilleann os comhair na tine, ina chodladh ba chosúil, agus a chloigeann faoi bhindealáin claonta go leataobh. Ní raibh de sholas sa seomra ach loinnir dhearg na tine - a las a shúile mar a bheadh comharthaí contúirte iarnróid, ach a d'fhág a aghaidh síoschlaonta faoi dhoircheacht — mar aon le lagsholas an lae a tháinig isteach tríd an ndoras a bhí ar oscailt. Bhí gach rud faoi sholas cróndearg, faoi scáth agus doiléir, dar léi, go háirithe tar éis di lampa an bheáir a lasadh, rud a d'fhág léaspáin ar a súile fós. Ach ar feadh soicind ba dhóigh léi go raibh béal ollmhor leathan ag an té a bhí roimpi amach; craos doimhin a shlog leath íochtair a éadain ina hiomláine. Ba é an chéad-amharc air a bhain siar aisti: an cloigeann faoi bhindealán bán, spéaclaí móra de shúile, agus an aibhéis ar leathadh fúthu. Ansin, bhog sé, shuigh sé aniar sa chathaoir agus d'ardaigh sé a lámh. D'oscail sí an doras siar, ionas go mbeadh solas breise sa seomra, agus chonaic sí ní ba shoiléire é, agus a scaif lena bhéal aige faoi mar a bhí an ciarsúr aige roimhe sin. Ní foláir nó gur chuir na scáileanna dallamullóg uirthi.

"Ar mhiste leat, a dhuine uasail, an duine seo a theacht isteach a fhéachaint ar an gclog?" ar sise agus í ag teacht chuici féin.

"Féachaint ar an gclog?" ar seisean agus é ag féachaint uime go codlatach, agus a lámh os comhair a bhéil aige, agus ansin, agus é ag dúiseacht i gceart, "go cinnte."

D'imigh Mrs de Hál léi chun lampa a aimsiú, agus d'éirigh sé ina sheasamh agus bhain sé searradh as a cholainn. Tháinig sí ar ais le solas, agus b'iúd isteach Mr Tadhg Ó hIonfraí agus an duine bindealán-chlúdaithe seo os a chomhair amach. Is amhlaidh gur 'baineadh siar as', a dúirt sé.

"Móra dhuit," arsa an strainséir agus é ag féachaint air - mar a deir Mr Ó hIonfraí agus cuimhneamh glé aige ar na spéaclaí dorcha - "mar a bheadh gliomach."

"Tá súil agam," arsa Mr Ó hIonfraí, "nach bhfuilim ag cur isteach ort."

"Níl ná é," arsa an strainséir. "Cé go dtuigtear dom," ar seisean agus é ag tiontú i dtreo Mhrs de Hál, "gur liom féin amháin an seomra seo do m'úsáid phríobháideach féin."

"Shíl mé, a dhuine uasail," arsa Mrs de Hál, "gurbh fhearr leat an clog—"

"Go deimhin," arsa an strainséir, "go deimhin — ach, seachas sin, ba mhaith liom a bheith asam féin agus nach gcuirfí isteach orm.

"Ach táim thar a bheith sásta go gcuirfí caoi ar an gclog," ar seisean, nuair a chonaic sé drogall éigin ar Mhr Ó hIonfraí. "Thar a bheith sásta." Bhí sé i gceist ag Mr Ó hIonfraí pardún a ghabháil agus cúlú, ach chuir na focail sin ar a shuaimhneas é. Thiontaigh an strainséir, chuir sé a dhrom leis an dtinteán agus chuir sé a dhá láimh laistiar dá dhrom. "Agus ansin," ar seisean, "ach a mbeidh caoi ar an gclog, ba mhaith liom mo shuipéar. Ach a mbeidh an clog deisithe, gan amhras."

Bhí Mrs de Hál ar tí an seomra a fhágaint - ní dhearna sí aon iarracht comhrá a thosnú an babhta so, toisc gur theastaigh uaidh go ndéanfaí neamhaird di i láthair Mhr Ó hIonfraí - nuair a d'fhiafraigh an cuairteoir di an ndearna sí aon socrú faoi na boscaí a bhí i nDoire Driseáin aige. Dúirt sí gur luaigh sí le fear an phoist é, agus go dtabharfaí chuige lá arna mháireach iad. "Tá tú cinnte gurb é sin an t-am is túisce," ar seisean.

Bhí sí cinnte agus ba léir nár thaitin an ceistiú léi.

"Ba chóir dom a mhíniú duit," ar seisean, "ó tharla go raibh mé rófhuar agus róthugtha a dhéanamh roimhe seo, go ndéanaim turgnaimh."

"An ea, a dhuine uasail?" arsa Mrs de Hál agus an chuma uirthi go ndeachaigh sé i gcion uirthi.

"Agus tá gairis agus fearais i mo bhagáiste agam chuige."

"Rudaí fónta go cinnte, a dhuine uasail," arsa Mrs de Hál.

"Ní nach ionadh, tá cíocras orm leanúint orm le mo chuid fiosrúchán."

"Gan amhras, a dhuine uasail."

"Ba é ba chúis liom a theacht go Baile Ipa," ar seisean, agus diongbháilteacht ina ghlór, "gur theastaigh uaim go mbeinn asam féin. Níor mhaith liom go gcuirfí isteach orm. Anuas ar mo chuid oibre, de bharr timpiste—"

"Sin a shíl mé," arsa Mrs de Hál léi féin.

"— ní mór dom cúlú. Bíonn mo shúile i bpian agus lag anois agus arís agus bíonn orm uaireanta fada an chloig as a chéile a chaitheamh sa doircheacht. Mé héin a ghlasáil ó dhaoine. Uaireanta – anois agus arís. Ní faoi láthair, go cinnte. Le linn na dtréimhsí sin, is mór a chuirfeadh duine a thiocfadh isteach sa seomra isteach orm – níor mhór na rudaí sin a chur in iúl."

"Go cinnte, a dhuine uasail," arsa Mrs de Hál. "Agus mura miste leat mé a fhiafraí díot—"

"Sin a bhfuil faoi," arsa an strainséir leis an stuacánacht sin a chuireann deireadh le gach comhrá. Choinnigh Mrs de Hál an cheist a bhí aici agus an trua a bhraith sí dó d'am éigin eile.

Ach ar fhág Mrs de Hál an seomra, d'fhan sé ina sheasamh os comhair na tine agus é ag stánadh, mar a deir Mr Ó hIonfraí, ar dheisiú an chloig. Ní hamháin gur bhain Mr Ó hIonfraí na lámha den chlog, mar aon leis an aghaidh, ach bhain sé amach a raibh istigh ann; agus bhí sé ar a dhícheall an obair a dhéanamh chomh malltriallach, chomh ciúin agus chomh neamhshuntasach agus arbh fhéidir leis. Bhí an lampa gar dó agus é ag obair, agus scal an scáthlán uaine solas gléigeal ar a lámha féin agus ar an bhfráma agus ar na rothaí, agus fágadh an chuid eile den seomra faoi scáileanna. Nuair a d'fhéachadh sé in airde, chíodh sé paistí daite os comhair a shúl. Duine fiosrach ba ea é pé scéal é agus bhain sé amach oibreacha an chloig - rud nár ghá - chun go nglacfadh sé beagán ní b'fhaide air an clog a dheisiú agus go mbeadh deis aige, b'fhéidir, comhrá a dhéanamh leis an strainséir. Ach sheas an strainséir mar a raibh sé, gan gíog ná míog as. Bhí sé chomh socair sin, gur chuir sé isteach ar an Ionfraíoch. Ba chosúil go raibh sé sa seomra as féin agus d'fhéach sé in airde agus b'iúd os a chomhair cloigeann liath agus doiléir, faoi bhindealáin, agus dhá lionsa mhóra ghorma ag stánadh air agus spotaí uaine ar foluain os a gcomhair amach. Bhí an oiread sin iontais ar an Ionfraíoch gur fhan siad mar sin ar feadh nóiméid ag stánadh ar a chéile. Ansin, d'fhéach an tIonfraíoch síos arís. Bhí sé an-mhíchompordach. Ba bhreá le duine rud éigin a rá. Ar cheart dó a rá go raibh an aimsir an-fhuar, rud nár ghnách an tráth sin bliana?

D'fhéach sé in airde amhail is go raibh sé ag iarraidh amas a aimsiú. "Tá an aimsir—" ar seisean.

19

"Críochnaigh é agus imigh leat," arsa an deilbh, agus ba léir go raibh sé ag iarraidh guaim a choimeád air féin. "Níl le déanamh agat ach an lámh bheag a dheisiú ar a fearsaid. Tá tú ag meilt ama—"

"Cinnte, a dhuine uasail – nóiméad amháin eile. Níor chuimhnigh mé ar—" agus leis sin chríochnaigh Mr Ó hIonfraí a chuid oibre agus d'imigh sé.

Ach ní mó ná sásta a bhí sé. "Damnú air!" arsa Mr Ó hIonfraí leis féin agus é ag siúl go spadánta síos tríd an sráidbhaile ar an sneachta a bhí ag leá; "ní mór do dhuine clog a dheisiú anois agus arís."

Agus arís, "Nach féidir le duine féachaint ort? Gránna!"

Agus arís eile, "Is cosúil nach féidir. Dá mbeadh na póilíní sa tóir ort, ní bheadh an oiread sin de chlúdach ort."

Ar Choirnéal an Ghliasánaigh a bhaint amach dó, chonaic sé Mr de Hál, a phós bean tí an strainséara sa tábhairne 'An Cóiste agus Capaill' le déanaí, agus a thiomáin iomparán Bhaile Ipa anois, nuair a bheadh a leithéid de dhíth ar dhaoine anois agus arís, go Crosaire Dhroichead Sidder. Chonaic sé chuige é ar a bhealach ar ais ón áit sin. Ba léir gur 'fhan' de Hál tamall i nDroichead Sidder ón tiomáint a bhí sé a dhéanamh. "Bail ó Dhia ort, a Thaidhg," ar seisean ar a bhealach thairis.

"Tá ceann ceart agaibh sa bhaile!" arsa Tadhg.

Stad Mr de Hál. "Abair leat," ar seisean.

"Tá leábharaic ceart ar lóistín sa Chóiste agus Capaill," arsa Tadhg. "A Thiarcais!"

Agus leis sin, rinne sé mionchur síos don Hálach ar an gcuairteoir sonraíoch. "Ba dhóigh leat gur bréagriocht atá ann, nár dhóigh? Ba mhaith liomsa éadan an duine a bheadh ar lóistín liomsa a fheiscint," arsa an tIonfraíoch. "Ach bíonn iontaoibh ag na mná as strainséirí, dar ndóigh. Tá bhur seomraí aige agus níor thug sé ainm ar bith, a Hálaigh."

"An mar sin é!" arsa an Hálach, ar bheag an iontaoibh a bhí aige as daoine.

"Is é," arsa Tadhg. "Seachtain ar sheachtain. Pé rud faoi, ní féidir fáil réidh leis go ceann seachtaine. Agus beidh go leor bagáiste á thabhairt chuige amáireach, a deir sé. Tá súil agam nach boscaí lán cloch atá ann, a Hálaigh."

D'inis sé don Hálach faoin gcaoi ar chuir strainséir an dallamullóg ar a aintín féin i mBaile Oistín ach mála láimhe folamh a bheith aige. I ndeireadh na dála, bhí beagán amhrais ar an Hálach." "Hath amach!" arsa an Hálach. "Níor mhór dom é seo a fhiosrú, is dócha."

Ar aghaidh le Tadhg go spadánta agus suaimhneas aigne aige.

Seachas 'é a fhiosrú', áfach, is amhlaidh a thug a bhean chéile íde na muc agus na madraí don Hálach as an bhfaid ama a chaith sé i nDroichead Sidder, agus ní bhfuair sé de fhreagra ar a bhogfhiosruithe ach freagraí giorraisc doiléire. Ach phéac síol sin an amhrais a chuir Tadhg in intinn Mr de Hál in ainneoin na ndálaí sin. "Ní heol daoibhse, mná, gach aon ní," arsa Mr de Hál agus é meáite ar eolas a fháil ar phearsantacht an lóistéara a luaithe agus arbh fhéidir leis. Ach a ndeachaigh an strainséir a luí, um a leathuair tar éis a naoi, chuaigh Mr de Hál de ruathar isteach sa pharlús agus d'fhéach sé go géar ar throscán a mhná céile, d'fhonn a thaispeáint nárbh é an strainséir an máistir ann, agus rinne sé grinnstaidéar go sotalach ar bhileog suimeanna matamaitice a d'fhág an strainséir ina dhiaidh. Ar a dhul a chodladh dó an oíche sin dúirt sé le Mrs de Hál súil ghrinn a chaitheamh ar bhagáiste an strainséara nuair a thiocfadh sé an lá dár gcionn.

"Tabhairse aire do do ghnó héin, a Hálaigh!" arsa Mrs de Hál, "agus déanfaidh mise cúram de mo ghnó-sa."

Ba mhó an claonadh a bhí inti a bheith giorraisc le Mr de Hál toisc go raibh an strainséir sách ait, gan aon agó, agus nach raibh sí héin cinnte faoi ach chomh beag. Dhúisigh sí i lár na hoíche as tromluí faoi chloigne móra bána mar a bheadh turnapaí ar scrogaill gan deireadh gan chríoch agus iad sa tóir uirthi lena súile móra dubha. Ach ba stuama an bhean í, chuir sí a faitíos faoi chois, d'iompaigh sí sa leaba agus thit sí a chodladh arís.

CAIBIDIL III
AON BHUIDÉAL AR MHÍLE

Ba é an naoú lá is fiche de mhí Feabhra, mar sin, agus an sneachta á leá, nuair a ráinigh an duine seo a theacht go Baile Ipa. Tháinig a bhagáiste lá arna mháireach agus ba shuntasach an bagáiste é. Bhí roinnt cásanna móra ann, go deimhin, faoi mar a bheadh ag duine réasúnach ar bith, ach anuas orthusan bhí bosca leabhar - leabhair mhóra théagartha, nárbh fhéidir bun ná barr a dhéanamh den pheannaireacht i gcuid díobh - agus um dhosaen crátaí, boscaí agus cásanna, ina raibh earraí a bhí neadaithe i dtuí - buidéil ghloine, dar leis an Hálach, tar éis dó cartadh sa tuí le teann fiosrachta. Tháinig an strainséir, a raibh hata, cóta, lámhainní agus scaif air, amach ón tábhairne go mífhoighneach le bualadh le cairt Uí Fhraoigheáin, fad a bhí an Hálach i mbun beagán cúlchainte sula dtabharfadh sé lámh chúnta. Amach leis gan madra Uí Fhraoigheáin a thabhairt faoi deara agus é ag smúracht ag cosa de Hál. "Brostaígí oraibh leis na boscaí sin," ar seisean. "Táim mós fada ag fanúint orthu."

Tháinig sé anuas na céimeanna i dtreo chúl na cairte amhail is go raibh sé ag iarraidh breith ar chráta beag.

Ní túisce a thug madra Uí Fhraoigheáin faoi deara é, áfach, ná thosnaigh sé ag drannadh go fíochmhar leis, agus nuair a tháinig sé anuas na céimeanna de ruathar, léim an madra de gheit suas ar a láimh. "Fup!" arsa an Hálach, agus é ag preabadh i leith a chúil, óir níorbh aon fhear madraí é, agus arsa an Fraoigheánach de bhéic, "síos leat!" agus lasc sé an fhuip a bhí aige.

Chonaic siad nár rug fiacla an mhadra aon ghreim as láimh an fhir, chuala siad cic, chonaic siad an madra ag seachaint an chic agus ag tabhairt fogha faoi chos an strainséara, agus chuala siad an treabhsar á stróiceadh. Ansin, bhuail an Fraoigheánach an madra leis an bhfuip agus chúlaigh sé isteach faoi rothaí na cairte agus é ag geonaíl. Níor mhair an eachtra leath nóiméid. Níor labhair éinne ach bhí gach duine ag liú. D'fhéach an strainséir go tapaidh ar an lámhainn a bhí stróicthe agus ar a chois agus bhí an chuma air go raibh sé ar tí cromadh nuair a thiontaigh sé agus d'imigh sé de ruathar suas na céimeanna isteach sa tábhairne. Chuala siad torann a choiscéimeanna ag imeacht de ruathar ar feadh an dorchla agus suas an staighre lom isteach ina sheomra codlata.

"A bhithiúnaigh!" arsa an Fraoigheánach agus é ag teacht anuas den chairt leis an bhfuip ina láimh aige, fad a bhí an madra ag faire air tríd an roth. "Gabh i leith," arsa an Fraoigheánach.

Bhí an Hálach ina staic go béal-oscailte. "Bhain sé greim as," arsa an Hálach. "B'fhearr dom féachaint an bhfuil sé i gceart," ar seisean agus lean sé an strainséir. Casadh Mrs de Hál air sa dorchla. "Madra an iompróra," ar seisean, "bhain sé greim as."

Chuaigh sé suas an staighre agus ó tharla go raibh doras an strainséara ar leathadh, sháigh sé roimhe é agus bhí sé ar tí dul isteach gan chónaí gan chuimhneamh toisc gur dhuine truachríoch é.

24

Bhí an dallóg dúnta agus bhí an seomra faoi lagsholas. Chonaic sé rud mós aisteach, mar a bheadh géag gan lámh ag luascadh ina threo agus aghaidh mar a bheadh trí spota dhubha dhoiléire ar ábhar bán. Buaileadh go fíochmhar san ucht é, caitheadh i leith a chúil é, agus dúnadh an doras de phlab agus cuireadh faoi ghlas é. Tharla sé chomh tapaidh sin nach raibh deis aige féachaint. Cruthanna doiléire ar foluain, buile agus mearbhall. Sheas sé sa dorchla ar bharr an staighre agus é ag iarraidh a dhéanamh amach a bhfaca sé i ndáiríre.

Cúpla nóiméad ina dhiaidh sin, tháinig sé amach i measc an ghrúpa a bhí cruinnithe lasmuigh den Chóiste agus Capaill. B'iúd an Fraoigheánach ag aithris ar an eachtra don dtarna babhta; b'iúd Mrs de Hál ag rá leis nach raibh aon ghnó ag a mhadra greim a bhaint as a cuid lóistéirí; b'iúd Mac an Cheannaí, fear siopa ón taobh eile den tsráid agus é lán de cheisteanna; agus b'iúd Saindí Uaitsir ón gceárta agus é ag déanamh breithiúnais; mar aon le mná agus leanaí agus iad go léir ag caint ráiméise. "Ní ligfinn dó greim a bhaint asamsa;" "Níor chóir madra mar sin a bheith ag duine;" "Cén fáth ar bhain sé greim as, meas tú?" agus mar sin de.

Bhí Mr de Hál, a bhí ag stánadh orthu ó na céimeanna agus ag éisteacht leo, ag iarraidh ciall a bhaint as an méid a tharla thuas staighre. Ní raibh na focail aige a chuirfeadh ar a chumas a smaointe a chur in iúl.

"Níl aon chúnamh uaidh, a deir sé," ar seisean nuair a chuir a bhean ceist air. "B'fhearr dúinn a bhagáiste a thabhairt isteach."

"Ba chóir dó iarann te a leagan ar an ngoin láithreach," arsa Mac an Cheannaí, "go háirithe má tá sé ata."

"Chaithfinn an madra sin, dá mba mise a bhí ann," arsa bean sa slua.

Ansin, thosnaigh an madra ag drannadh arís.

"Brostaígí oraibh," arsa glór, a raibh fearg le brath air, sa doras, agus b'iúd an strainséir, bóna a chóta ina sheasamh agus duilleog a hata claonta síos aige. "Dá thúisce a thabharfar isteach na rudaí sin is ea is fearr liom é." Deir duine anaithnid a bhí sa slua go raibh treabhsar agus lámhainní difriúla air.

"Ar goineadh thú, a dhuine uasail?" arsa an Fraoigheánach. "Tá an-bhrón orm gur bhain—"

"Is cuma," arsa an strainséir. "Níor polladh an craiceann. Brostaígí oraibh leis na hearraí sin."

Lig sé eascainí as faoina fhiacla ansin, dar le Mrs de Hál.

Tugadh an chéad chráta isteach sa seomra suite, mar a ordaíodh, agus thug an strainséir faoi go díocasach, á chartadh agus ag caitheamh tuí anonn is anall gan aon chuimhneamh aige ar bhrat urláir Mhrs de Hál. Thosnaigh sé ag tarraingt buidéal as - buidéil bheaga leathana ina raibh púdair; buidéil bheaga chaola ina raibh leachtanna bána agus daite; buidéil fhada chaola ar a raibh Nimh scríofa; buidéil bholgacha ag a raibh scóig chaol; buidéil mhóra ghlasghloine; buidéil mhóra bhánghloine; buidéil ar a raibh stopaláin ghloine agus lipéidí siocánta; buidéil ar a raibh claibíní míne; buidéil ina raibh stopaláin rubair; buidéil ar a raibh claibíní adhmaid; buidéil fíona; buidéil íle sailéid – agus leag sé amach ina sraitheanna iad ar an gcófra, ar an matal, ar an mbord faoin bhfuinneog, ar fud an urláir, ar an leabhragán – ar fud an bhaill. Ní bheadh leath an oiread earraí ag siopa an phoitigéara i nDoire Driseáin. B'iontach an feic é. Tarraingíodh buidéil as cráta i ndiaidh cráta, nó go raibh sé chráta folamh agus carn tuí ar airde an bhoird ann; níor baineadh amach as na crátaí sin, seachas buidéil, ach feadáin agus meá a pacáladh go cúramach.

A thúisce a folmhaíodh na crátaí, chuaigh an strainséir anonn chuig an bhfuinneog agus chuir sé chun oibre, beag beann ar an mbruscar tuí, ar an dtine a bheith múchta, ar an mbosca leabhar a bhí lasmuigh, nó ar na cásanna agus ar an mbagáiste eile a tugadh in airde staighre.

Nuair a thug Mrs de Hál a dhinnéar chuige an tráthnóna sin, bhí sé chomh gafa sin lena chuid oibre – braonacha á ndoirteadh as buidéil isteach i bhfeadáin – nár chuala sé í nó go raibh formhór na tuí tugtha léi aici agus gur leag sí an tráidire ar an mbord, de phlab b'fhéidir, i bhfianaise an chrutha a bhí ar an urlár. Thiontaigh sé a cheann chuici agus thiontaigh sé uaithi láithreach arís é. Ach thug sí faoi deara go raibh na spéaclaí bainte de aige; bhí siad ar an mbord lena ais, agus ba dhóigh léi go raibh log na súl rí-dhoimhin. Chuir sé air na spéaclaí arís, agus thiontaigh sé chuici. Bhí sí ar tí tabhairt amach dó faoin tuí ar an urlár ach tháinig sé roimpi.

"Iarraim ort gan teacht isteach gan cnagadh," ar seisean leis an dteann feirge sin ba dhual dó.

"Bhuail mé cnag, ach is léir—"

27

"Seans gur bhuail. Ach tá na tástálacha – mo thástálacha fíor-phráinneach agus rí-thábhachtach – an cur isteach dá laghad, gíoscán dorais – Iarraim ort—"

"Cinnte, a dhuine uasail. Féadfaidh tú an eochair a chasadh sa ghlas, más mar sin atá, tá a fhios agat. Am ar bith."

"An-smaoineamh," arsa an strainséir.

"An tuí seo, a dhuine uasail, mura miste leat mé a rá—"

"Is miste. Má chuireann an tuí isteach ort, cuir leis an mbille é. Agus labhair sé faoina fhiacla – mar a bheadh sé ag eascainí.

Bhí sé chomh haisteach sin, ina sheasamh ansiúd, chomh forránta agus chomh teasaí, le buidéal i leathláimh agus feadán sa láimh eile, gur baineadh stangadh as Mrs de Hál. Ach níorbh aon dóithín í Mrs de Hál. "Más mar sin atá, a dhuine uasail, cad is dóigh leat—"

"Scilling - breac síos scilling. Is leor scilling, nach leor?"

"Maith go leor," arsa Mrs de Hál, agus tosaigh sí ag leathadh an éadaigh bhoird ar an mbord. "Má tá tú sásta leis, gan amhras—"

Thiontaigh sé agus shuigh sé síos, agus bóna a chóta léi.

Chaith sé an tráthnóna sin go léir ag obair leis agus an doras faoi ghlas aige, mar a áitíonn Mrs de Hál, ina thost den chuid ba mhó. Ach babhta amháin chualathas callán agus buidéil ag bualadh faoina chéile amhail is gur buaileadh an bord, agus gur caitheadh buidéal faoi racht feirge, agus ansin coiscéimeanna anonn is anall de ruathar ar fud an tseomra. Agus faitíos uirthi go raibh "rud éigin mícheart," chuaigh sí chuig an ndoras agus d'éist sí, gan aon fhonn uirthi cnag a bhualadh.

28

"Táim bréan de," ar seisean. "Táimse bréan de. Trí chéad míle, ceithre chéad míle! Líon ollmhór! Calaois! Seans go nglacfaidh sé fad mo shaoil go léir orm! ... Foighne! Foighne go deimhin! ... a amadáin! a amadáin!"

Chualathas torann bróg tairní ar leacacha an bheáir, agus bhí ar Mhrs de Hál, dá hainneoin, imeacht gan an chuid eile dá chaint a chlos. Nuair a tháinig sí ar ais bhí tost ann arís, seachas gíoscán lag na cathaoireach agus clingireacht buidéil anois is arís. Bhí deireadh lena racht; bhí an strainséir i mbun oibre arís.

Nuair a thug sí an suipéar isteach chuige chonaic sí smidiríní gloine i gcúinne an tseomra faoin scáthán cuasach, agus smál órga a ndearnadh lag-iarracht a ghlanadh. Tharraing sí aird air.

"Cuir leis an mbille é," arsa an cuairteoir de ghlam. "In ainm Chroim, ná cuir isteach orm. Má dhéantar damáiste, cuir leis an mbille é," agus lean sé air ag cur ticeanna le liosta a bhí sa chóipleabhar a bhí os a chomhair amach.

"Neosfaidh mé rud amháin duit," arsa an Fraoigheánach, go mistéireach. Bhí sé déanach sa tráthnóna, agus bhí siad i siopa beag beorach Bhaile Ipa.

"Abair leat!" arsa Tadhg Ó hIonfraí.

"An fear seo a bhfuil sibh ag caint air, ar bhain mo mhadra greim as. Is fear gorm é. Nó a chosa ar a laghad ar bith. D'fhéach mé tríd an bpoll i gcos a threabhsair agus tríd an bpoll ina lámhainn. Bheifí ag súil le dath éigin bándearg a fheiscint, nach mbeifí? Ní hamhlaidh a bhí, dar fia. Duibhe. Táim á rá libh, tá sé chomh dubh le mo hata."

"Go bhfóire Dia orainn!" arsa an tIonfraíoch. "Is aisteach an cás é go deimhin. Nach bhfuil a shrón chomh bándearg le péint!"

"Is fíor dhuit," arsa an Fraoigheánach. "Tá a fhios agam é sin. Agus neosaidh mé daoibh mo thuairimse. Fear breac atá ann, a Thaidhg. Dubh anseo agus bán ansiúd – paistí. Agus tá náire air faoi. Cineál leathfholaígh atá ann, paistí dathanna atá ann seachas meascadh. Chuala mé trácht ar a leithéid roimhe seo. Agus sin mar a bhíonn le capaill go minic, mar is eol do chách."

CAIBIDIL IV
CHEISTIGH MR de CUS AN STRAINSÉIR

Rinne mé cur síos sách mion ar theacht an strainséara go Baile Ipa ionas go dtuigfeadh an léitheoir ar cheap muintir an bhaile faoi. Ach seachas dhá eachtra shuntasacha, níor bhain aon ábhar iontais leis an gcuid eile den tréimhse a chaith sé ann go dtí lá neamhghnách sin na clubfhéile. D'éirigh idir é agus Mrs de Hál roinnt babhtaí mar gheall ar chúrsaí iompair, ach i gcás gach eachtra díobh go dtí deireadh mhí an Aibreáin, nuair a chonacthas céad chomharthaí an daibhris, fuair sé an ceann ab fhearr uirthi ach íocaíocht bhreise a thairiscint di. Níor thaitin sé le Mr de Hál, agus labhraíodh sé ar bhata agus bóthar a thabhairt dó aon uair a bhíodh faill aige; ach léirigh sé a mhísástacht trína cur faoi chos go diongbháilte agus an cuairteoir a sheachaint oiread agus arbh fhéidir leis. "Fan go dtí an samhradh," arsa Mrs de Hál go stuama, "go dtosaí na healaíontóirí ag teacht. Feicfimid ansin. Seans go bhfuil sé ábhairín forránach, ach an té a íocann an píobaire roghnaíonn sé na poirt, pé rud a déarfaí ina leith."

Ní théadh an strainséir ar aifreann, agus ba é an dá mhar a chéile dó-san, fiú amháin ó thaobh éadaí de, Domhnach agus dálach. D'oibríodh sé, mar a mheas Mrs de Hál, go mírialta. Laethanta áirithe, thagadh sé anuas go moch agus bhíodh sé ag obair de shíor. Laethanta eile, chodlaíodh sé go headra, bhíodh sé ag siúl anonn is anall ina sheomra, bhíodh sé le clos ag déanamh imní, bhíodh sé ag ól a phíopa agus bhíodh sé ina chodladh sa chathaoir uilleann le hais na tine. Ní raibh aon teagmháil aige leis an saol mór lasmuigh den sráidbhaile. Bhí a chuid feirge luaineach; den chuid ba mhó ba chosúil é le duine a bhíothas a shaighdeadh de shíor, agus anois agus arís briseadh, stróiceadh, bascadh nó scoilteadh rudaí i rachtanna obanna foréigin. Ba dhóigh le duine go raibh sé á choipeadh go mór. Bhí Mrs de Hál dulta i dtaithí ar an nós sin a bhí aige labhairt leis féin de ghlór íseal, agus cé go n-éisteadh sí leis go cúramach, ní fhéadadh sí bun ná barr a dhéanamh de.

B'annamh a théadh sé amach faoi sholas an lae, ach nuair a théadh sé amach sa chlapsholas, bhíodh sé clúdaithe ó bhonn go baithis, beag beann ar an aimsir, agus thaithíodh sé na cosáin ab iargúlta i measc na gcrann agus fan na habhann. Tháinig a spéaclaí bolgacha agus a aghaidh bindealánaithe faoi dhuilleog a hata aniar aduaidh as an ndoircheacht ar shaothraí nó beirt agus iad ar a mbealach abhaile, agus cuireadh sceimhle ar Thadhg Ó hIonfraí agus dhá thaobh an bhóthair aige tar éis teacht amach as An Róba Dearg oíche áirithe ar a leathuair tar éis a naoi nuair a taibhsíodh dó an bhlaosc de chloigeann (bhí a hata ina láimh aige) ach ar scal solas trí dhoras oscailte an tábhairne air. Leanaí a chíodh um eadarsholas é, shamhlaídís babhdáin i gceartlár na hoíche, agus n'fheadair daoine ar mhó ab fhuath leis buachaillí nó ar mhó ab fhuath leo-san eisean; ach is cinnte nár réitigh siad lena chéile pé ar domhan é.

Níorbh aon ionadh é go mbeadh duine a raibh cuma chomh haduain sin air, agus iompar chomh deoranta sin faoi, i mbéal an phobail i sráidbhaile dá leithéid Bhaile Ipa. Bhíothas in amhras faoina shlí bheatha. Níor mhaith le Mrs de Hál trácht ar a leithéid. Dá gceistítí í, ba é a deireadh sí "turgnamhaí fiosraitheach" é agus dhéanadh sí deimhin de gach siolla a fhuaimniú go beacht. Nuair a d'fhiosraítí léi cad ba thurgnamhaí fiosraitheach ann, deireadh sí le teann ardnóis gur ag aos léinn a bhí an t-eolas sin, agus mhíníodh sí go ndéanadh sé "fionnachtana". Bhain timpiste den chuairteoir, a deireadh sí, rud a d'athraigh dath a lámh agus a éadain, agus ó tharla gur dhuine mós íogair é, níorbh áil leis go dtabharfaí faoi deara é.

Ba é a deirtí nuair nach mbíodh sí i láthair gur choirpeach a bhí ann a bhí ar a theitheadh agus go raibh sé clúdaithe ó bhonn go baithis ionas nach n-aimseodh na póilíní é. Ba é sin tuairim Mhr. Tadhg Ó hIonfraí. Níorbh eol do dhaoine go ndearnadh aon mhórchoir ó lár nó ó dheireadh mhí Feabhra i leith. Ba é a shamhlaigh Mr Ó Gúill, a bhí ar thréimhse phromhaidh sa Scoil Náisiúnta, gur Ainrialaí faoi bhréagriocht a bhí sa strainséir, a bhí ag déanamh pléascán, agus bhí sé meáite ar an scéal a fhiosrú ach am a bheith aige chuige. Ba é a bhí san fhiosrú sin, den chuid ba mhó, féachaint go géar ar an strainséir nuair a chastaí ar a chéile iad, nó leidcheisteanna a chur ar dhaoine nach bhfaca an strainséir riamh. Ach ní bhfuair sé aon fhuascailt.

Bhain tuairimíocht eile le Mr Ó Fraoigheáin, is é sin go raibh craiceann breac aige nó leagan éigin den tuairim sin; cuir i gcás Sileas Ó Dorgáin, a chualathas a rá "dá dtogródh sé é féin a chur ar taispeáint ag aonaigh nárbh fhada go mbeadh sé ina fhear saibhir," agus de bhrí gur dhiagaire de shaghas é, chuir sé an strainséir i gcomparáid le fear an aon tallainn. Tuairim eile ba ea gur ghealt gan dochar gurbh ea an strainséir. Ar an gcaoi sin, bhíothas in ann gach rud a bhain leis a mhíniú láithreach.

Idir na príomhghrúpaí sin, bhí leath-thuairimí agus géilltuairimí. Is beag piseog a bhaineann le muintir Shosaics, agus níor luadh aon ní i dtaobh osnádúir nó gur tharla imeachtaí thosach mhí an Aibreáin. An uair sin féin, ba i measc na mban amháin a luaití é.

Pé tuairim a bhí acu faoi, ámh, bhí muintir Bhaile Ipa go léir ar aon fhocal nár thaitin sé leo. A cholgaí a bhí sé, cé go bhféadfadh go dtuigfeadh oibrí meabhrach na cathrach é, b'ábhar iontais é i measc mhuintir an tsráidbhaile chiúin sin i Sosaics. Na gothaí mire a bhíodh air anois agus arís, a thapúla a thagadh sé timpeall coirnéal ciúin orthu san oíche, a mhéad a d'eitíodh sé iarrachtaí comhrá, a mhéad a shantaíodh sé an clapsholas agus a dhúnadh sé doirse agus dallóga, a mhúchadh sé coinnle agus lampaí − cé a d'aontódh le nithe den sórt sin? Sheasaidís siar uaidh agus é ag siúl síos an sráidbhaile, agus nuair a théadh sé thar bráid, chuireadh aos óg an mhagaidh bóna a gcótaí ina sheasamh agus chlaonaidís síos duilleog a hataí, agus leanaidís é go neirbhíseach agus iad ag déanamh aithrise ar a staidiúir. Bhí amhrán i mbéal an phobail an uair sin dar teideal "An Babhdán". Chan Miss Statchell i gceolchoirm na scoile é (chun airgead a bhailiú do lampaí an tséipéil), agus as sin amach, pé uair a bhíodh beirt nó triúr de mhuintir an bhaile i dteannta a chéile agus a thagadh an strainséir ar an bhfód, dhéantaí barra nó dhó den fhonn, maol nó géar, a fheadaíl. Chomh maith leis sin, scairteadh leanaí beaga "Babhdán!" amach ina dhiaidh, agus theithidís leo go sona sásta.

Péacadh fiosracht an dochtúra de Cus. Chuir sé spéis, de bharr a ghairme, sna bindealáin, agus shantaigh sé an t-aon bhuidéal ar mhíle ar ar chuala sé trácht. I rith an Aibreáin agus na Bealtaine go léir thothlaigh sé deis chainte leis an strainséir, agus i ndeireadh na dála, um Dhomhnach Cincíse, níorbh fhéidir leis a sheasamh a thuilleadh agus bheartaigh sé ar chuairt a thabhairt air chun a ainm a fháil do chuairteanna altra an bhaile, mar dhea. B'ionadh leis a fháil amach nach raibh ainm a lóistéara ar eolas ag Mr de Hál. "Thug sé ainm," a dúirt Mrs de Hál - áiteamh nach raibh aon bhunús leis - "ach níor chuala mé i gceart é." Shíl sí gurbh amaideach an mhaise é gan ainm an fhir a bheith ar eolas aici.

Bhuail de Cus cnag ar dhoras an pharlúis agus isteach leis. Chuala sé eascaine go follasach laistigh. "Faighim pardún agat as cur isteach ort," arsa de Cus, agus dúnadh an doras ansin agus fágadh Mrs de Hál scartha ón gcuid eile den chomhrá.

Chuala sí monabhar cainte ar feadh deich nóiméad nó mar sin, ansin liú iontais, coiscéimeanna, cathaoir á caitheamh i leataobh, glam gáire, céimeanna i dtreo an dorais de ruathar, agus b'iúd amach de Cus, a aghaidh mílítheach agus é ag stánadh thar a ghualainn. D'fhág sé an doras ar oscailt ina dhiaidh, agus gan féachaint uirthi bhrostaigh sé trasna an halla agus síos na

35

céimeanna, agus chuala sí a choiscéimeanna ag brostú síos an bóthar. Bhí a hata ina láimh aige. Sheas sí laistiar den doras, ag féachaint ar dhoras oscailte an pharlúis. Ansin, chuala sí ciúingháire an strainséara, agus ansin coiscéimeanna ag teacht anall trasna an urláir. Níorbh fhéidir léi a aghaidh a fheiscint ón áit ar sheas sí. Dúnadh doras an pharlúis de phlab, agus bhí tost ann athuair.

Chuaigh de Cus caoldíreach tríd an sráidbhaile chuig an mbiocáire Ó Buintín. "An gealt mé?" arsa de Cus go borb ar a dhul isteach sa seomra staidéir suarach dó. "An bhfuil cuma na geilte orm?"

"Cad a tharla duit?" arsa an biocáire agus é ag cur amóinít ar bhileoga scartha an tseanmóra a bhí le tabhairt aige.

"An fear sin sa tábhairne—"

"Abair leat."

"Tabhair deoch éigin dom," arsa de Cus agus shuigh sé síos.

Ach ar chuir an ghloine meathsheirise – an t-aon deoch alcóil a bhí ar fáil don bhiocáire – ar a shuaimhneas de bheagán é, d'inis sé dó faoin gcomhrá a bhí aige díreach roimhe sin. "Isteach liom," ar seisean agus é ag alpadh aeir, "agus lorgaíos síntiús do Chiste an Altra. Sháigh sé a lámha ina phócaí ar mo dhul isteach dom, agus shuigh sé síos ina chnap sa chathaoir. Smaoisíl. Dúirt mé leis gur chuala mé go raibh spéis aige san eolaíocht. Dúirt sé go raibh. Smaoisíl arís. Lean sé air ag smaoisíl fan ama; tholg sé slaghdán le déanaí, ní folaír. Is beag ionadh agus é clúdaithe mar sin! Lean mé orm le scéal an altra, agus mo shúile ar oscailt agam fan ama.

Buidéil – ceimiceáin – ar fud an bhaill. Meá, feadáin i dtacaí, agus boladh – coinneal oíche. An dtabharfadh sé síntiús? Dúirt sé go smaoineodh sé air. Chuir mé ceist neamhbhalbh air an raibh taighde ar siúl aige. Dúirt sé go raibh. Taighde fada? Racht feirge. 'Taighde damanta rí-fhada,' ar seisean agus é le báiní. 'Ó,' arsa mise. Rabharta gearán. Bhí an fear ar fiuchadh, agus phléasc na ceisteanna é. Tugadh oideas leighis dó, oideas rí-thábhachtach - ní dúirt sé cad chuige. Leigheas? 'Fán fada ort! Cén fhiosracht í seo?" Ghabhas leithscéal. Smaoisíl agus casachtach. Lean sé air. Léigh sé é. Cúig chomhábhar. Leag sé uaidh é; thiontaigh a cheann. D'ardaigh séideán gaoithe ón bhfuinneog an páipéar. Siosarnach. Bhí sé ag obair i seomra ina raibh teallach, ar seisean. Chonaic sé lasrach agus b'iúd an t-oideas ag dó agus ar foluain sa deatach. Rith sé chuige ach d'éalaigh suas an simléar. Abair! Díreach um an dtaca sin, chun an scéal a léiriú, shín sé amach a lámh."

"Abair leat."

"Tásc ná tuairisc ar láimh - muinchille fholamh. A Thiarcais! Sin míchuma, arsa mise liom féin! Tá géag choirte aige, is dócha, agus í bainte de. Ansin, mheas mé go raibh rud ait faoi. Cad sa tsioc atá ag coinneáil na muinchille in airde agus ar oscailt, mura bhfuil faic inti? Ní raibh faic inti, a deirim leat. Faic siar isteach, siar chomh fada leis an alt. Bhíos in ann féachaint siar isteach chuig an uillinn, agus bhí oiread na fríde de léas solais ag scaladh trí pholl san éadach. 'In ainm Chroim!' arsa mise. Stad sé. Stán sé orm tríd na spéaclaí móra sin, agus ansin ar a mhuinchille.

"Abair leat."

"Sin sin. Ní dúirt sé focal; stán sé, agus sháigh sé a mhuinchille isteach ina phóca go gasta. 'Is é a bhí mé a rá,' ar seisean, 'gurbh iúd an t-oideas á dhó, nach raibh?' Casacht cheisteach. 'Conas sa tsioc,' arsa mise, 'is féidir leat muinchille fholamh a bhogadh mar sin?' 'Muinchille fholamh?' 'Sea,' arsa mise, 'muinchille fholamh.'

"'Muinchille fholamh atá ann, nach ea? Chonaic tú muinchille fholamh?' Sheas sé láithreach. Sheas mé héin leis. Tháinig sé faoi mo dhéin i dtrí thruslóg mhalla, agus sheas sé mós gar dom. Smaoisíl nimhneamh. Níor loic mé, ach chuirfeadh an cloigeann bindealánaithe agus na léaróga sin an croí trasna i nduine ar bith nuair a thagann siad air de gheit.

"'Dúirt tú gur mhuinchille fholamh a bhí ann?' ar seisean. 'Go cinnte,' arsa mise. Maidir le stánadh agus tost, bíonn an duine aghaidh-nocht, gan spéaclaí, faoi mhíbhuntáiste. Ansin, gan gíog ná míog as, tharraing sé a mhuinchille amach as a phóca arís, agus d'ardaigh sé a lámh chugam amhail is go raibh sé á taispeáint dom arís. Rinne sé go han-, an-mhall é. D'fhéach mé uirthi. Ba gheall le síoraíocht é. 'Ambaist,' arsa mise agus mo scornach á glanadh agam, 'níl faic inti.'

"Bhí air rud éigin a rá. Bhí faitíos ag teacht orm. Bhí mé in ann féachaint siar isteach inti. Shín sé díreach os mo chomhair amach í, go mall, mall – díreach mar sin – nó go raibh an bóna sé horlaí ó m'aghaidh amach. Aisteach an rud é muinchille fholamh a fheiscint chugat mar sin! Agus ansin—"

"Abair leat."

38

"Bhain rud éigin – mar a bheadh méar agus ordóg – liomóg as mo shróin."

Thosnaigh an Buintíneach ag gáire.

"Ní raibh faic ann!" arsa de Cus, agus a ghlór ag baint buaicairde amach leis an bhfocal "ann." "Go saoráideach a thagann an gáire chugatsa, ach baineadh an oiread sin de stangadh asam, a deirim, gur bhuail mé bóna na muinchille go láidir agus thiontaigh mé ar mo shála, agus d'éalaigh mé ón seomra — d'fhág mé é—"

Stad de Cus. Ní raibh aon dul thar dháiríre an scaoill a bhí air. Thiontaigh sé go dímbríoch agus ghlac sé an dara gloine de mheathsheiris an bhiocáire iontaigh. "Nuair a bhuail mé an bóna," arsa de Cus, "deirim leat, gur dhóigh liom gur bhuail mé lámh cheart. Agus ní raibh lámh ar bith ann! Ní raibh oiread na fríde de láimh ann!"

Rinne Mr Ó Buintín a mharana air. D'fhéach sé go hamhrastúil ar de Cus. "Is diabhalta an scéal é," ar seisean. Bhí cuma an-stuama agus dháiríre air. "Is diabhalta an scéal é," arsa Mr Ó Buintín i nglór an bhreithiúnais, "gan aon agó."

CAIBIDIL V
GADAÍOCHT I DTEACH AN BHIOCÁIRE

Ba ón mbiocáire agus óna bhean chéile, go príomha, a fuaireamar mionsonraí na gadaíochta i dteach an bhiocáire. Tharla sé in am marbh na hoíche, Luan Cincíse, an lá a mbíonn an clubfhéile ar siúl i mBaile Ipa. Is cosúil gur dhúisigh Mrs Uí Bhuintín de gheit sa téigle sin roimh bhreacadh an lae, agus amhras mór uirthi gur osclaíodh agus gur dúnadh doras a seomra leapa. Níor dhúisigh sí a fear céile ar dtúis, ach shuigh sí aniar sa leaba agus chuir sí cluas le héisteacht uirthi héin. Ansin, chuala sí go soiléir "peat, peat, peat" cos lomnocht sa seomra gléasaidh béal dorais agus ar feadh an dorchla i dtreo an staighre. A thúisce a bhí sí cinnte de, dhúisigh sí an Rev. Mr Ó Buintín chomh ciúin agus arbh fhéidir léi. Níor las sé lampa, ach chuir sé a spéaclaí féin, fallaing sheomra a mhná céile agus a shlipéirí folctha air agus amach leis go barr an staighre agus bior ar a chluasa. Chuala sé útamáil go soiléir ag an mbord sa seomra staidéir thíos staighre, agus ansin sraoth mhór.

Tháinig sé ar ais isteach sa seomra leapa ansin, rug sé ar an uirlis ab fhollasaí, bior tine, agus chuaigh sé síos an staighre chomh ciúin agus arbh fhéidir leis. Tháinig Mrs Uí Bhuintín amach go barr an staighre.

Bhí sé a ceathair a chlog ar maidin agus bhí uain bhuaicdhoircheachta na hoíche caite. Bhí léas solais ar éigean sa halla, ach ní raibh laistiar de dhoras an tseomra staidéir, a bhí ar leathadh, ach an doircheacht dhubh. Bhí sé ina thost, cé is moite de ghíoscán chláir adhmaid na gcéimeanna faoi chosa Mhr Uí Bhuintín, agus gluaiseachtaí ar éigean sa seomra staidéir. Ansin chualathas pléascadh beag, osclaíodh an tarraiceán, agus chualathas páipéir á gcartadh. Ansin, chualathas eascaine, lasadh lasán agus líon solas buí an seomra staidéir. Bhí Mr Ó Buintín sa halla faoin am sin, agus trí oscailt an dorais chonaic sé an bord agus an tarraiceán ar oscailt agus coinneal ar lasadh ar an mbord. Ní raibh tásc ná tuairisc ar an ngadaí. D'fhan sé mar a raibh sé sa halla idir dhá cheann na meá, agus théaltaigh Mrs Uí Bhuintín, a raibh a diongbháilteacht le feiscint ar a haghaidh mhílítheach, théaltaigh sí anuas an staighre go mall ina dhiaidh. Choinnigh rud amháin misneach Mhr Uí Bhuintín; ba chinnte leis gur de mhuintir an bhaile é an gadaí.

Chuala siad clingireacht airgid, agus thuig siad gur aimsigh an gadaí cúlchiste óir an tís − dhá phunt agus deich leathshabhran san iomlán. Ach ar chuala sé an torann sin, spreagadh Mr Ó Buintín chun gnímh. D'fháisc sé an bior tine ina láimh, rith sé isteach sa seomra agus Mrs Uí Bhuintín sna sála air. "Géill!" arsa Mr Ó Buintín de bhéic fhíochmhar agus sheas sé ina staic iontais ansin. Is cosúil go raibh an seomra folamh.

Ach bhí siad diongbháilte gur chuala siad duine éigin ag gluaiseacht sa seomra an uain sin go díreach. Sheas siad go socair go béaloscailte ar feadh leath nóiméid nó mar sin, agus ansin shiúil Mrs Uí Bhuintín trasna an tseomra agus d'fhéach sí laistiar den scáthlán, fad a bhí Mr Ó Buintín ag féachaint faoin mbord.

Ansin d'oscail Mrs Uí Bhuintín cuirtíní na bhfuinneog, agus d'fhéach Mr Ó Buintín in airde sa simléar agus sháigh sé an bior tine suas ann. As a aithle sin, scrúdaigh Mrs Uí Bhuintín bosca an bhrúscair pháipéir agus d'oscail Mr Ó Buintín comhla na haraide guail. Stadadar ansin agus sheasadar ann agus iad ag féachaint ar a chéile.

"Thabharfainn an leabhar—" arsa Mr Ó Buintín.

"An choinneal!" arsa Mrs Uí Bhuintín. "Cé a las an choinneal?"

"An tarraiceán!" arsa Mrs Uí Bhuintín. "Agus tá an t-airgead ar iarraidh!"

Bhrostaigh sí chuig an ndoras.

"Nach aisteach—"

Chualathas sraoth mhór sa dorchla. Bhrostaigh siad amach, agus má rinne, chuala siad doras na cistine á dhúnadh de phlab. "Tabhair leat an choinneal!" arsa Mr Ó Buintín agus d'imigh sé roimpi. Chuala an bheirt acu boltaí á dtarraingt siar go tapaidh.

Ar oscailt dhoras na cistine dó chonaic sé tríd an gcúlchistin go rabhthas ag oscailt an dorais chúil, agus d'fhoilsigh léas lag solais bhreacadh an lae, d'fhoilsigh sé doircheacht an ghairdín lasmuigh. Bhí sé cinnte de nach ndeachaigh aon ní amach an doras. Osclaíodh é, bhí sé ar oscailt ar feadh soicind, agus dúnadh de phlab é. Nuair a tharla sé sin, thosnaigh an choinneal a bhí ag Mrs Uí Bhuintín ag léimneach. D'imigh nóiméad nó dhó sula ndeachaigh siad isteach sa chistin.

Bhí an áit folamh. Dhaingnigh siad an doras cúil athuair, scrúdaigh siad an chistin, an chúlchistin agus an landair go mion, agus ansin chuaigh siad síos san íoslach. Ní raibh duine ná deoraí sa teach, in ainneoin a gcuardaigh.

Ach ar breacadh an lá, bhí an biocáire agus a bhean chéile, lánúin a chaith éadaí deismireacha, fós ag déanamh iontais ar fud urlár na talún faoi sholas coinnle céirchalctha.

CAIBIDIL VI
AN TROSCÁN A BHÍ AR MIRE

Tharla sé go moch maidin Luain Chincíse, sular cuireadh an ruaig ar Mhilí ón teach don lá, gur éirigh Mr de Hál agus Mrs de Hál agus go ndeachaigh siad síos isteach sa siléar gan mórán torainn a dhéanamh. Gnó éigin príobháideach a thug ann iad, rud éigin a bhain le sainmheáchan na beorach. Ba ar éigean a bhí siad sa siléar nuair a thuig Mrs de Hál go ndearna sí dearúd buidéal sarsapairille a thabhairt léi óna gcomhsheomra. Ó tharla gurbh ise an saineolaí agus príomhoibrí an ghnó, chuaigh Mr de Hál suas staighre arís á iarraidh.

Ar bharr an staighre a bhaint dó, bhí ionadh air doras an strainséara a fheiscint ar leathadh. Chuaigh sé isteach ina sheomra féin agus d'aimsigh sé an buidéal mar a ordaíodh dó.

Ach ar a bhealach ar ais dó leis an mbuidéal, chonaic sé go raibh boltaí an dorais tosaigh tarraingthe siar agus go raibh an laiste ar an ndoras. Agus rith tobsmaoineamh leis a rinne ceangal idir é sin agus seomra an strainséara thuas staighre agus tuairimí Mhr Tadhg Ó hIonfraí. Ba chuimhin leis go beacht an choinneal a choinneáil le Mrs de Hál agus í ag daingniú na mboltaí aréir. Stad sé agus é ag faire ar na boltaí, agus ansin chuaigh sé ar ais in airde staighre agus an buidéal fós ina láimh. Bhuail sé cnag ar dhoras an strainséara. Freagra ní bhfuair sé. Bhuail sé cnag eile; ansin sháigh sé an doras ar oscailt agus isteach leis.

Bhí an seomra mar a mheas sé. Bhí an leaba, agus an seomra féin, folamh. Rud ab aistí ná sin, fiú do dhuine dá mheabhair féin, ba ea go raibh éadaí, a raibh d'éadaí ag an lóistéir go bhfios dó, agus a chuid bindealán, caite ar an gcathaoir agus ar ráille na leapa. Bhí hata mór duilleogach an lóistéara ar crochadh ar phosta na leapa, fiú.

Agus é ina sheasamh ansin, chuala Mr de Hál guth a mhná céile aníos ón siléar agus bhí a fhios aige de réir mhungailt na siollaí agus ardú ceisteach na tuine san fhocal deiridh, rud is dual do mhuintir Shosaics Thiar, go raibh an mhífhoighne ag coipeadh inti. " ' Sheoirse! An bhfuil sé agat?"

Thiontaigh sé ansin agus bhrostaigh sé síos staighre chuici. " ' Shinéad," ar seisean, thar an ráille ar chéimeanna an tsiléir, "is fíor a deir an tIonfraíoch. Níl sé ina sheomra. Agus tá an bolta bainte den doras."

Níor thuig Mrs de Hál ar dtúis é, ach nuair a thuig, bhí sí meáite ar an seomra folamh a fheiscint di féin. Ba é Mr de Hál a chuaigh amach ar dtúis, agus an buidéal ina láimh aige i gcónaí. "Mura bhfuil sé anseo," ar seisean, "tá a chuid éadaí anseo. Cad atá sé a dhéanamh gan a chuid éadaí? Is aisteach an gnó é."

Agus iad ag teacht aníos staighre an tsiléir ba dhóigh leo beirt, a dúradh ina dhiaidh sin, gur chuala siad an doras tosaigh á oscailt agus á dhúnadh, ach nuair a chonaic siad go raibh sé dúnta, ní dúirt ceachtar acu aon ní leis an nduine eile ag an am. Chuaigh Mrs de Hál thar a fear céile sa dorchla agus rith sí léi in airde staighre. Lig duine éigin sraoth ar an staighre. Mheas Mr de Hál, a bhí sé choiscéim laistiar di, gur lig sí sraoth aisti. Mheas sise, a bhí amach roimhe, go raibh Mr de Hál ag sraothartach. D'oscail sí an doras siar agus sheas sí ann ag féachaint ar an seomra. "Nach ait é!" a dúirt sí.

Chuala sí smaoisíl díreach laistiar dá cloigeann, ba chosúil, agus b'ait léi a fheiscint, ar a tiontú di, go raibh Mr de Hál dosaen troithe uaithi ag barr an staighre. Ach díreach roimhe sin bhí sé díreach laistiar di. Chlaon sí chun tosaigh agus chuir sí a lámh ar an bpiliúr agus ansin faoi éadaí na leapa.

"Fuar," ar sise. "Tá sé ina shuí le huair an chloig nó breis."

Agus í á dhéanamh sin, tharla rud éigin rí-aisteach. Cruinníodh éadaí na leapa ina chéile, léim siad in airde san aer go buaicphointe, agus léim siad thar ráille íochtair na leapa. Ba chosúil gur rug lámh orthu ina gceartlár agus gur caitheadh i leataobh iad. Díreach as a aithle sin, phreab hata an strainséara de phosta na leapa, rinne sé guairneán tríd an aer agus ruathar caoldíreach i dtreo aghaidh Mhrs de Hál. D'eitil an spúinse ón ndoirteal ina treo chomh gasta céanna ansin; agus ansin an chathaoir, agus cóta agus treabhsar an strainséara á gcaitheamh i leataobh ar nós cuma liom, agus rinneadh gáire tur i nglór a bhí cosúil le glór an strainséara, thiontaigh an chathaoir in airde agus a ceithre chos ag síneadh i dtreo Mhrs de Hál, d'fhan ar feadh soicind agus ansin thug fogha fúithi. Lig sí scread aisti agus thiontaigh sí, agus ansin tháinig cosa na cathaoireach go mall ach go tréan i gcoinne a droma agus brúdh í féin agus Mr de Hál amach as an seomra. Dúnadh an doras go fíochmhar agus

46

cuireadh glas air. Bhí an chuma ar an scéal go raibh an chathaoir agus an leaba i mbun damhsa ceiliúrtha, agus ansin bhí tost ann.

Ba dhóbair do Mhrs de Hál titim i bhfanntais i mbaclann Mhr de Hál ar bharr an staighre. Ba ar éigean a d'éirigh le Mr de Hál agus le Milí, a tháinig nuair a chuala sí an scread, Mrs de Hál a thabhairt síos staighre agus íocshláinte oiriúnach a thabhairt di.

"Ainspridí atá ann," arsa Mrs de Hál. "Tá's agam gur ainspridí atá ann. Léigh mé faoina leithéid sna nuachtáin. Boird agus cathaoireacha ag léimneach agus ag damhsa..."

"Bíodh bolgam eile agat, a Shinéad," arsa Mr de Hál. "Cuirfidh sé ar do shuaimhneas thú."

"Glasáil lasmuigh é," arsa Mrs de Hál. "Ná lig isteach arís é. Bhí barúil agam – bhí leathshúil agam leis. Na súile bolgacha sin agus na bindealáin um a cheann, agus gan dul ar aifreann Dé Domhnaigh. Agus na buidéil sin go léir – cad ab áil do dhuine an oiread sin díobh a bheith aige? Chuir sé na hainspridí sin sa troscán . . . An troscán maith! Ba sa chathaoir sin a shuíodh mo mháthair bhocht féin agus mé i mo chailín óg. Agus í ag tabhairt fogha fúm anois!"

"Bíodh bolgam eile agat, a Shinéad," arsa Mr de Hál. "Tá tú trína chéile."

Sheol siad Milí trasna na sráide, trí léas órga gréine a cúig a chlog, chun Mr Saindí Uaitsir, an gabha, a dhúiseacht. Beannachtaí ó Mhrs de Hál agus tá an troscán in airde staighre ar mire. An dtiocfadh Mr Uaitsir anall? Fear eolach ba ea Mr Uaitsir, agus fear seiftiúil. Bhí tuairim dhuairc aige faoin gcás.

"M'anam ach gur asarlaíocht atá ann," a mheas Mr Saindí Uaitsir. "Ní mór crú capaill a chur ag obair ar dhuine den sórt sin."

Tháinig sé anall agus imní air. Theastaigh uathu é a thabhairt in airde staighre chuig an seomra, ach ba chosúil nach raibh aon deifir air. B'fhearr leis comhrá a dhéanamh sa dorchla. Ar a bhealach anonn dó, tháinig printíseach Mhic an Cheannaí amach agus thosnaigh sé ag baint anuas na comhlaí d'fhuinneog an tobac. Tugadh anall isteach sa chomhrá é. Lean Mac an Cheannaí é faoi cheann cúpla nóiméad, ní nach ionadh. Chuir mionsamhail Angla-Shacsanach an rialtais pharlaimintigh i mbun díospóireachta: ba mhó an chaint a rinneadh ach níor beartaíodh aon ghníomh. "Cloisimis fíricí an scéil ar dtús," arsa Mr Saindí Uaitsir go diongbháilte. "Bímis cinnte go raibh an ceart ar fad againn an doras sin thuas a bhriseadh. An doras neamhbhriste is féidir a bhriseadh i gcónaí, ach ní féidir an doras a neamhbhriseadh ach a mbristear é."

Ansin, de gheit, osclaíodh doras an tseomra in airde staighre, agus b'iúd ag teacht anuas an staighre an strainséir lánchlúdaithe, agus é ag stánadh roimhe amach trí na súile ollmhóra gormghloine sin a bhíonn air. Tháinig sé anuas go righin agus go mall, é ag stánadh roimhe i dtólamh; shiúil sé trasna an dorchla agus stad sé.

""Féach ansin!" ar seisean, agus lean a súile an treo a bhí méar na lámhainne a thaispeáint dóibh agus chonaic siad buidéal sarsapairille in aice le doras an tsiléir. Ansin, chuaigh sé isteach sa pharlús, agus dhún sé an doras de phlab ina n-éadan go fíochmhar agus go gasta.

Focal ní dúirt siad nó go ndeachaigh macallaí an phlab in éag. Stán siad ar a chéile. "Murab é sin an sméar mhullaigh!" arsa Mr Uaitsir.

"Rachainn isteach agus cheisteoinn é," arsa Mr Uaitsir le Mr de Hál. "D'éileoinn míniú."

Ghlac sé tamall misneach fhear céile na mna tí a chruinniú. I ndeireadh thiar thall, bhuail sé cnag, osclaíodh an doras agus a thúisce a dúirt sé "Gabh mo leithscéal—"

"Gread leat!" arsa an strainséir de ghlór ard, agus "Dún an doras i do dhiaidh." Leis sin cuireadh deireadh leis an agallamh gearr sin.

CAIBIDIL VII
FOILSIÚ AN STRAINSÉARA

Chuaigh an strainséir isteach i bparlús beag sa 'Chóiste agus Capaill' um leathuair tar éis a cúig ar maidin, agus d'fhan sé ann go raibh sé ag déanamh ar mheán lae; bhí na dallóga dúnta, bhí an doras dúnta, agus ní dheachaigh duine ná deoraí chuige tar éis na heiteachtála a fuair Mr de Hál.

Ní foláir nár ith sé greim i rith an ama sin. Bhuail sé an cloigín faoi thrí, agus an tríú babhta díobh bhuail sé go fíochmhar agus go seasmhach é, ach freagra níor tugadh air. "É héin agus a 'ghread leat' go deimhin!" arsa Mrs de Hál. Chualathas ráfla faoin ngadaíocht i dteach an bhiocáire, láithreach, agus baineadh adhmad as an gcúrsa. D'imigh an Hálach, le cúnamh an Uaitsirigh, ag triall ar Mhr Ó Córa, an giúistís, chun a chomhairle a lorg. Ní dheachaigh éinne in airde staighre. Ní fios cén gnó a bhí ar bun ag an strainséir. Anois agus arís, chloistí coiscéimeanna de ruathar anonn is anall, agus chualathas rois eascainí faoi dhó, páipéar á stróiceadh agus buidéil á mbriseadh go forránta.

Mhéadaigh an slua beag de dhaoine sceimhlithe fiosracha. Tháinig Mrs Mhic an Cheannaí anall; tháinig stócaigh óga mheidhreacha a raibh seaicéid dhubha réamhdhéanta agus carabhait pháipéir *piqué* orthu – óir Luan Cincíse a bhí ann – isteach sa slua féachaint a raibh ar siúl. Bhain Oisín Ó Coinnín cáil amach dó féin ach siúl suas an clós agus iarracht a dhéanamh gliúcaíocht isteach faoi dhallóga na fuinneoige. Níorbh fhéidir leis

50

aon ní a fheiscint, ach bhí an chuma air gurbh fhéidir, agus chuaigh ógánaigh eile Bhaile Ipa anonn chuige.

Ba é an Luan Cincíse ba bhreátha riamh é, agus thíos ar shráid an bhaile bhí um dhosaen both, gailearaí ealaíne, agus ar an bhfaiche in aice na ceártan bhí trí vaigín bhuí agus dhonna mar aon le strainséirí dathúla, idir fhir agus mhná, a bhí ag socrú both amais cnónna cócó. Bhí geansaithe gorma ar na fir agus bhí naprúin bhána ar na mná mar aon le hataí faiseanta ar a raibh cleití breátha. Bhí an Fiodánach ón "Oisín Corcra", agus Mr Ó Lódáin, an gréasaí, a dhíoladh gnáthrothair athláimhe chomh maith, ag síneadh sreang bratacha na Breataine, ar a raibh suaitheantas an teaghlaigh ríoga (a úsáideadh den chéad uair riamh don chéad Iubhaile Victeoiriach) trasna an bhóthair.

Agus laistigh, i ndoircheacht shaorga an pharlúis, a raibh léas caol griansolais ag taitneamh ann, d'fhair an strainséir, a raibh ocras, ní foláir, agus faitíos air, agus é i bhfolach faoina bhindealáin ghoilliúnacha. D'fhair sé trína spéaclaí dorcha ar an bpáipéar nó bhain sé clingireacht as a bhuidéil bheaga bhréana, agus ligeadh sé rois eascaíní as anois is arís leis na buachaillí, a chuala é mura bhfaca siad é, a bhí lasmuigh de na fuinneoga. Sa chúinne le hais an tinteáin bhí dosaen buidéal ina smidiríní agus bhí boladh bréan an chlóirín san aer. Is mó an t-eolas atá againn ón méid a chualathas ag an am agus a bhfacthas sa seomra ina dhiaidh sin.

Um meán lae, d'oscail sé doras an pharlúis de gheit agus sheas sé ina staic ag stánadh ar thriúr nó ar cheathrar a bhí sa bheár. "Mrs de Hál," ar seisean. D'imigh duine éigin go faiteach agus cuireadh fios ar Mhrs de Hál.

Tháinig Mrs de Hál i láthair tar éis tamaill; bhí saothar anála uirthi, ach b'fhíochmhaire í dá bharr. Bhí Mr de Hál ar iarraidh go fóill. Bhí a marana déanta aici mar gheall ar an dteagmhas seo, agus bhí tráidire beag, ar a raibh bille neamhíoctha, ina láimh aici. "An é do bhille atá uait, a dhuine uasail?" ar sise.

"Cén fáth nár leagadh mo bhricfeasta ar an mbord? Cén fáth nár ullmhaigh tú mo bhéilte agus nár fhreagair tú an cloigín? An dóigh leat go mairim gan bhia?"

"Cén fáth nár íocadh mo bhille?" arsa Mrs de Hál. "Sin í an cheist atá agamsa."

"Dúirt mé leat trí lá ó shin go raibh mé ag feitheamh ar íocaíocht—"

"Dúirt mise leatsa dhá lá ó shin nach bhfanfainn ar an íocaíocht. Ní féidir leat clamhsán a dhéanamh má tá feitheamh beag ort i gcomhair bricfeasta, agus mise ag feitheamh i gcomhair íocaíochta le cúig lá anuas, an féidir?"

Lig an strainséir eascaine ghairid fhollasach as.

"Nar, nar!" ón mbeár.

"Agus bheinn mós buíoch díot, a dhuine uasail, ach do chuid eascainí a choinneáil chugat féin, a dhuine uasail," arsa Mrs de Hál.

Ba mhó ná riamh a bhí an chuma ar an strainséir gur clogad tumadóireachta feargach a bhí ann. Bhí siad ar aon fhocal sa bheár go bhfuair Mrs de Hál an lámh in uachtar air. Ba léir an méid sin óna ndúirt sé ansin.

"Cogar, a bhean uasal—" ar seisean.

"Ná bac le do 'bhean uasal' liomsa," arsa Mrs de Hál.

"Dúirt mé leat nach bhfuair mé mo shíntiús."

"Síntiús, go deimhin!" arsa Mrs de Hál.

"Mar sin féin, i mo phóca—"

"Dúirt tú liom trí lá ó shin nach raibh agat ach luach sabhrain d'airgead agat."

"Tháinig mé ar a thuilleadh de—"

"Obh, obh," ón mbeár

"Cár tháinig tú air, meas tú?" arsa Mrs de Hál.

Ba chosúil gur chuir sé sin an gomh ceart ar an strainséir. Bhuail sé a chos ar an dtalamh. "Cad atá i gceist agat?" ar seisean.

"Díreach gurb ait liom gur tháinig tú air," arsa Mrs de Hál. "Agus sula nglaca mé le hairgead uait nó sula bhfaighe mé aon bhricfeasta, nó sula ndéana mé rud ar bith, ní mór duit rud nó dhó nach dtuigim a insint dom, rudaí nach dtuigeann éinne, agus atá gach duine ag iarraidh a thuiscint. Ba mhaith liom a fhios a bheith agam go díreach a ndearna tú le do chathaoir in airde staighre, agus ba mhaith liom a fhios a bheith agam an tslí a bhí do sheomra folamh, agus mar a chuaigh tú isteach arís ann. Daoine a fhanann sa teach seo, tagann siad isteach an doras – sin í riail an tí, agus ní dhearna tusa é sin, agus ba mhaith liomsa a fháil amach cén chaoi ar tháinig tú isteach. Agus ba mhaith liom a fháil amach—"

D'ardaigh an strainséir a lámh de gheit agus rinne sé dorn lena lámhainn, bhuail sé a chos ar an dtalamh, agus arsa seisean, "Stad!" chomh foréigneach sin gur thit sí dá tost láithreach.

"Ní thuigeann tú cé hé mise," ar seisean, "ná cad atá ionam. Taispeánfaidh mé duit é. Dar fia! Taispeánfaidh mé duit é." Chuir sé bos a láimhe os comhair a aghaidhe agus bhain sé anuas arís í. Bhí cuas dubh i lár a aghaidhe. "Seo dhuit," ar seisean. Ghlac sé coiscéim chun tosaigh agus thug sé rud éigin do Mhrs de Hál agus ghlac sí leis dá hainneoin agus í ag stánadh ar an gclaochlú a tháinig ar a aghaidh. Ansin, nuair a thuig sí a raibh ann, lig sí uaill aisti, chaith sí chun talún é, agus baineadh tuisle i leith a cúil aisti. Phreab srón – srón an strainséara a bhí ann! Í bándearg agus lonrach – ar an urlár.

Bhain sé na spéaclaí de ansin, agus lig gach éinne sa bheár sciúng scéin astu. Bhain sé a hata de, agus tharraing sé ar a chroiméal agus ar na bindealáin go fíochmhar. Chuaigh de ar feadh soicind. Bhí a raibh de dhaoine sa bheár ar bís uafáis. "A Mhaighdean Bheannaithe!" arsa duine acu. Baineadh na bindealáin de.

B'uafásach an feic é. Lig Mrs de Hál, a bhí ina seasamh béaloscailte faoi sceimhle, scread aisti lena bhfaca sí, agus rith sí i dtreo dhoras an tí. Thosnaigh gach duine ag bogadh. Bhí siad ag dréim le cneánna, le máchail, le huafás infheicthe, ach faic! D'eitil na bindealáin agus an bréagfholt trasna an dorchla isteach sa

54

bheár, agus iad ag déanamh pocléim chliathánach chun na daoine a sheachaint. Thit gach éinne síos na céimeanna anuas ar a chéile. An duine a bhí ina sheasamh ansin agus míniú dothuigthe á thabhairt aige de liú, ba dheilbh sholadach luascánach go bóna a chóta é, agus as sin suas – faic, oiread na fríde le feiscint.

Chuala daoine a bhí thíos faoin mbaile liúireach agus scréachaíl, agus ar fhéachaint suas an tsráid dóibh chonaic siad an Cóiste agus Capaill ag caitheamh daoine amach as ar dalladh. Ansin chonaic siad Mrs de Hál ag titim chun talún agus Mr Tadhg Ó hIonfraí ag léimt ionas nach mbainfeadh sí tuisle as, agus ansin chuala siad screadaíl ghéar Mhilí a bhí, ar a bealach amach ón gcistin di de bharr thorann an phlab, tar éis teacht ar an strainséir gan chloigeann. Géaraíodh ar an screadaíl go hobann.

Thosnaigh gach éinne a bhí thíos faoin mbaile, díoltóir na milseán, úinéir an bhotha amais cnónna cócó agus a chúntóir, fear na luascán, buachaillí agus cailíní beaga, péacóga tuathghléasta, cúileanna cliste, daoine scothaosta dea-ghléasta agus giofóga naprúnaithe, thosnaigh siad ag rith láithreach i dtreo an tábhairne, agus i bhfaiteadh na súl bhí slua um dhaichead duine, agus é ag méadú go mear, ag luascadh agus ag liúireach agus ag fiosrú agus ag fógairt agus ag áiteamh, os comhair áitreabh Mhrs de Hál. Bhí gach éinne ag iarraidh labhairt ag an am céanna agus bhí sé ina liútar éatar ceart. Thug buíon bheag cúnamh do Mhrs de Hál, a baineadh den talamh agus í tite i bhfanntais. Rinneadh comhairle, agus thug finné fianaise fhabhlach. "In ainm Chroim!" "Cad a bhí sé a dhéanamh?" "Ar ghortaigh sé an cailín, ar ghortaigh?" "Thug sé fogha fúithi le scian, is dóigh liom." "Fear gan chloigeann, a chuala mé. Ní ag trácht ar a stuamacht atáim. Fear gan aon chloigeann ar a ghuailne atá i gceist agam!" "Ráiméis! Cleas de shaghas éigin atá ann." "Bhain sé de na bindealáin—"

Agus iad ag baint na gcos dá chéile ag iarraidh féachaint isteach an doras, bhí an slua mar a bheadh ding bheo a raibh rinn an mhisnigh ar aghaidh an tábhairne amach. "Sheas sé ann, chuala mé scread an chailín, agus thiontaigh sé. Chonaic mé a sciorta ag bogadh agus d'imigh sé sa tóir uirthi. Ní raibh deich soicind ar fad ann. Tháinig sé ar ais agus scian ina láimh aige agus builín; sheas sé ann amhail is go raibh sé ag stánadh. Níl ann ach nóiméad ó shin. Chuaigh sé isteach an doras sin. Deirim leat, níl cloigeann ar bith air. Ar éigean a chaill tú é—"

Bhí fothragadh ar chúl, agus ansin stad an cainteoir den chaint d'fhonn mórshiúl a bhí ag déanamh go diongbháilte ar an dteach a scaoileadh thairis; bhí Mr de Hál chun tosaigh, a aghaidh dearg diongbháilte, ansin Mr Mac Seafair, póilín an bhaile, agus ansin Mr Uaitsir a bhí san airdeall. Bhí barántas acu an uair seo.

Thosnaigh daoine ag tabhairt eolais de scread faoi na himeachtaí agus na screada go léir ag teacht salach ar a chéile. "Bíodh cloigeann air nó nach mbíodh," arsa Mac Seafair, "caithfidh mé é a ghabháil, agus gabhfaidh mé é."

Mháirseáil Mr de Hál suas na céimeanna, mháirseáil sé caoldíreach i dtreo dhoras an pharlúis agus d'oscail sé siar de phlab é. "A chonstábla," ar seisean, "déan do ghnó."

56

Mháirseáil Mac Seafair isteach. Bhí Mr de Hál sna sála air agus ina dhiaidh sin bhí Mr Uaitsir. Chonaic siad faoin gclapsholas an dealbh gan chloigeann a bhí casta ina dtreo, agus canta leath-ite aráin i lámhainn amháin aige agus blúire cáise sa cheann eile.

"Sin é é!" arsa de Hál.

"Cad sa tsioc atá ar siúl agaibh?" arsa glór feargach cosantach os cionn bhóna na deilbhe.

"Is diabhalta an custaiméir thú, a fhir," arsa Mr Mac Seafair. "Ach bíodh cloigeann agat nó nach mbíodh, deir an barántas 'colainn,' agus dualgas is ea dualgas—"

"Fan amach uaim!" arsa an dealbh agus é ag preabadh i leith a chúil.

Chaith sé uaidh de gheit an t-arán agus an cháis, agus rug Mr de Hál, ar éigean, ar an scian a bhí ar an mbord. Baineadh lámhainn chlé an strainséara de agus bualadh Mac Seafair san aghaidh léi. I bhfaitead na súl, rug Mac Seafair, sula raibh deis aige abairt éigin faoi bharántas a chríochnú, rug sé ar chaol a láimhe dofheicthe agus ar a scornach dhofheicthe. Buaileadh lasc de chic callánach ar a lorga agus lig sé liú as, ach níor scaoil sé lena ghreim. Shleamhnaigh Mr de Hál an scian ar feadh an bhoird i dtreo Mhr Uaitsir, a bhí ar chúl an ionsaí agus ansin ghlac sé coiscéim i dtreo Mhic Sheafair agus luasc an strainséir agus ghlac sé céim thuisleach ina leith agus rug sé air agus bhuail sé é. Bhí cathaoir sa tslí orthu agus cuireadh i leataobh de phlab í nuair a thit siad chun talún le chéile.

"Beir greim ar na cosa," arsa Mac Seafair faoina fhiacla.

Rinne Mr de Hál iarracht déanamh de réir na treorach ach buaileadh cic sna heasnacha air a d'fhág gan bhrí ar feadh tamaillín é, agus nuair a chonaic Mr Uaitsir go raibh an strainséir gan chloigeann iompaithe agus go raibh sé in airde ar Mhac Seafair, chúlaigh sé i dtreo an dorais, an scian ina láimh aige, agus bhuail sé de thaisme Mr Mac an Cheannaí agus fear cairte Dhroichead Sidder a bhí ar a mbealach isteach chun tacú le lucht an dlí agus an chirt. Ag an am céanna, thit trí nó ceithre bhuidéal anuas den chófra agus d'ardaigh púir bhréan in airde san aer sa seomra.

"Géillim," arsa an strainséir, in ainneoin go raibh an lámh in uachtar aige ar Mhac Seafair, agus i bhfaiteadh na súl bhí sé ina sheasamh agus saothar anála air, dealbh gan dealramh, gan chos gan lámh – óir bhí an lámhainn dheas bainte de anois chomh maith leis an lámhainn chlé. "Níl aon mhaith déanta," ar seisean amhail is go raibh sé ag iarraidh breith ar a anáil.

Ba é an rud ab aistí ar domhan é an glór sin a chlos ón aer, ach seans gurb iad tuathánaigh Shosaics na daoine is nóscumaliom ar domhan. D'éirigh Mac Seafair freisin agus tharraing sé amach glas lámh. Stán sé.

"Ar m'anam!" arsa Mac Seafair, agus ionadh air lena aistí a bhí an cás ar fad, "Damnú air! Ní féidir iad a úsáid, dar liom."

Shleamhnaigh an strainséir a ghéag síos a bhástchóta, agus amhail is gur dhraíocht é, osclaíodh na cnaipí sin a bhí os comhair na muinchille foilmhe. Dúirt sé rud éigin ansin faoina lorga, agus chrom sé síos. Bhí an chuma air go raibh sé ag útamáil lena bhróga agus lena stocaí.

"Dheara!" arsa Mac an Ceannaí go hobann, "ní fear é sin in aon chor. Éadaí folmha atá ann. Féach! Is féidir féachaint síos a bhóna agus an taobh istigh dá chuid éadaí. D'fhéadfainn mo ghéag a chur—"

Shín sé a lámh amach agus ba chosúil gur theagmhaigh sé rud éigin san aer, agus tharraing sé siar arís í de gheit. "Coinnigh do mhéaracha amach as mo shúil," arsa an guth san aer go fíochmhar agus go cosantach. "Is í fírinne an scéil go bhfuilim anseo i m'iomláine – cloigeann, lámha, cosa agus an chuid eile díom, ach tarlaíonn sé nach féidir libh m'fheiscint. Is crá croí céasta mé, ach is ann dom. Ní haon chúis é sin go sáfadh gach leibide i mBaile Ipa a mhéaracha ionam, an é?"

Sheas an chulaith éadaigh, a raibh na cnaipí go léir scaoilte uirthi agus í ar liobarna ar a tacaí dofheicthe agus a dhá láimh ar a maotháin aici.

Bhí go leor fear eile tar éis teacht isteach sa seomra anois, agus bhí sé dubh le daoine. "Dofheicthe, an ea?" arsa Mac an Cheannaí, beag beann ar íde an strainséara. "Níor chuala mé trácht ar a leithéid riamh!"

"Is ait é, b'fhéidir, ach ní coir é. Cén fáth a bhfuil póilín do mo bhascadh mar seo?"

"Á! Sin scéal eile," arsa Mac Seafair. "Is deacair d'fheiscint sa solas seo go cinnte, ach tá barántas agam agus tá gach rud ina

59

cheart. Ní cás domhsa an dofheictheacht — is í an ghadaíocht is cás dom. Briseadh isteach i dteach agus goideadh airgead."

"Abair leat!"

"Agus is cinnte go dtugann na cúinsí le fios—"

"Ráiméis agus truflais!" arsa an Fear nárbh Fhéidir a Fheiscint.

"Tá súil agam é, a dhuine uasail; ach tá dualgas orm."

"Más mar sin atá," arsa an strainséir, "rachaidh mé leat. Raghaidh mé leat. Ach ná cuirtear glas lámh orm."

"Gnáthnós is ea é," arsa Mac Seafair.

"Gan aon ghlas lámh," arsa an strainséir go diongbháilte.

"Gabh mo leithscéal," arsa Mac Seafair.

Shuigh an dealbh síos go hobann, agus sular thuig éinne a raibh ar siúl, baineadh na slipéirí, na stocaí agus an treabhsar de agus caitheadh isteach faoi mbord iad. Phreab sé ina sheasamh arís ansin agus bhain sé de a chóta.

"Hé, éirigh as sin," arsa Mac Seafair nuair a thuig sé a raibh ar siúl. Rug sé greim ar an mbástchóta; bhí iomrascáil ann agus shleamhnaigh an léine amach as agus fágadh ar liobarna ina láimh é. "Coinnígí greim air!" arsa Mac Seafair, in ard a chinn agus a ghutha. "Ach a mbainfidh sé de—"

"Coinnígí greim air!" arsa cách, agus thosnaigh an léine bhán, arbh í sin uile a bhí le feiscint den strainséir, ag cleitearnach.

Tharraing muinchille na léine paltóg ar aghaidh Mhr de Hál, rud a chuir stad lena ruathar lámhoscailte, agus a chuir siar i gcoinne Mhantacháin an cléireach, agus i bhfilleadh boise ardaíodh an t-éadach agus thosnaigh sé ag luascadh agus ag clupaideach mar a bheifí ag baint léine de dhuine os cionn a chinn. Rug Mac Seafair ar an léine, ach is amhlaidh gur chabhraigh sé leis an bhfear í a bhaint de; buaileadh sa phus é agus chaith sé a chrann bagair go míchruinn agus bhuail sé Tadhg Ó hIonfraí go fíochmhar ar bhaithis a chinn.

"Seachnaígí!" arsa gach éinne, agus iad ag luascadh a lámh gan faic a bhualadh. "Coinnítear greim air! Dúntar an doras! Ná scaoiltear amach é! Tá rud éigin agam. Seo é anseo é!" Ba mhór an callán a bhí ar bun acu. Bhíothas ag tarraingt buillí ar gach éinne san aon am amháin, agus d'athoscail Saindí Uaitsir, é chomh heolach agus a bhí riamh agus faobhar ar a intinn de bharr buille fíochmhaire sa tsrón, d'athoscail sé an doras agus bhí sé ar thús na cadhnaíochta. Bhí an chadhnaíocht a bhí á leanúint i gcoinne a dtola sáinnithe ar feadh nóiméid sa chúinne le hais an dorais. Leanadh de na buillí. Briseadh fiacail tosaigh Mhr de Pip, an tÚinitéireach, agus gortaíodh log cluaise an Ionfraígh. Buaileadh paltóg ar Mhac Seafair faoina ghiall, agus, ar a thiontú dó, rug sé ar rud éigin a tháinig sa tslí idir é féin agus Mac an Cheannaí sa chibeal. Mhothaigh sé brollach matánach, agus i bhfaiteadh na súl tarraingíodh cibeal na bhfear iomrascálach teasaí amach sa halla plódaithe.

"Tá sé agam!" arsa Mac Seafair, é á thachtadh agus á tharraingt tríothu go léir, a aghaidh chorcra agus a fhéitheoga ag at agus é ag iomrascáil leis an namhaid dhofheicthe.

Thuisligh fir ar dheis agus ar chlé agus an cibeal ag síobadh go mear i dtreo dhoras an tí, agus síos leathdhosaen céimeanna an tábhairne de ghuairneán. Lig Mac Seafair scairt as i nglór tachtaithe, ach greim an fhir bháite, mar sin féin, aige ar an neach dofheicthe; thug sé sonc glúine dó, tiontaíodh é agus thit sé go trom ar a chloigeann ar an ngairbhéal. Ba é sin an uair a scaoil sé lena ghreim.

"Coinnígí greim air," "Dofheicthe!" agus mar sin de a scairteadh amach de screada, agus tháinig ógfhear, strainséir san áit nár luadh a ainm, isteach de ruathar; rug sé ar rud éigin, chlis air agus thit sé de thuisle thar cholainn shínte an chonstábla. Lig bean a bhí leathshlí trasna an bhóthair scread aisti nuair a bhrúigh rud éigin i leataobh í; lig madra, ar tarraingíodh lasc de chic air is cosúil, glam as agus rith sé isteach i gclós Mhic an Cheannaí agus é ag geonaíl, agus leis sin d'imigh an Fear nárbh Fhéidir a Fheiscint. Sheas daoine mar a raibh siad agus iontais an domhain orthu, ansin bhuail scaoll iad, agus scaipeadh ar fud an bhaile iad mar a scaipeann an ghaoth duilliúr feoite.

Ach ní raibh gíog ná míog as Mac Seafair ach é ina luí ar fhleasc a dhroma agus a ghlúine lúbtha aige, ag bun chéimeanna an tábhairne.

CAIBIDIL VIII
IMEACHT LEIS

Tá an t-ochtú caibidil rí-ghairid, agus baineann sí leis an nGiobúnach, nádúraí amaitéarach an cheantair, a bhí ina luí faoin aer sa ghleann gan duine ná deoraí ina ghaobhar, nuair a chuala sé, dar leis, fear ag casachtach, ag sraothartach agus ag eascainí go faíoch dó féin laistiar de, ach ar a thiontú siar don ógfhear, ní raibh faic le feiscint. Ach ní raibh aon dul amú air faoin nglór. Lean sé air le bleaist eascainí nach mbeadh a leithéid le clos de réir cineáil agus éagsúlachta ach ag duine oilte. Baineadh buaic amach, mhaolaigh arís agus chuaigh in éag i gcéin amhail is go raibh sé ag dul i dtreo An Dobharghleanna. Ligeadh sraoth rachtúil agus tháinig deireadh leis. Níor chuala an Giobúnach trácht ar bith ar imeachtaí na maidine, ach bhí an feiniméan chomh haisteach agus chomh corraitheach sin gur thréig sé a sháimhe fhealsúnach; d'éirigh sé ina sheasamh go tapaidh, agus bhrostaigh sé leis síos fána ghéar an chnoic i dtreo an bhaile, chomh mear agus arbh fhéidir leis.

CAIBIDIL IX
MR TOMÁS MAC AMHRA

Samhlaigh Mr Tomás Mac Amhra lena aghaidh bhog phlucach, lena bhiorshrón chruinn, lena mheill liobrach agus lena fhéasóg chlagfhiáin. Feolamán de dhuine agus a ghéaga gairide ag déanamh áibhéil dá lodarthacht. Bhí hata síoda clúmhach ar a cheann, agus ba léir ón úsáid a bhaineadh sé as corda agus as iallacha bróige ar fud a fheistis in ionad cnaipí gur bhaitsiléir a bhí ann.

Bhí Mr Tomás Mac Amhra ina shuí lena chosa i ndíog ar chiumhais an bhóthair thall sa ghleann i dtreo An Dobharghleanna, um míle go leith ó Bhaile Ipa. Bhí a chosa nocht cé is moite de stocaí mogallacha agus bhí ordóga leathana a chos ag gobadh amach mar a bheadh cluasa bioracha ar mhadra faire. Ar a shuaimhneas dó – rinne sé gach rud ar a shuaimhneas – bhí sé ag cuimhneamh ar phéirí buataisí a thriail. Ba iad na buataisí ba théagartha dár aimsigh sé le fada an lá iad, ach bhí siad rómhór dó; os a choinne sin, bhí na bróga a bhí aige rí-chompordach san aimsir thirim, ach bhí na boinn ró-thanaí don aimsir fhliuch. Bhí an ghráin ag Mr Tomás Mac Amhra ar bhróga fairsinge ach bhí an ghráin aige leis ar an bhfliuchras. Níor oibrigh sé amach riamh cé acu ba mhó ba ghráin leis, agus bhí an aimsir go breá, agus ba bheag eile a bhí le déanamh aige. Leag sé na ceithre bhróg amach le chéile ar an bhféar agus d'fhéach sé orthu. Agus nuair a chonaic sé ansin iad ar an bhféar i measc méirníní na má, rith sé leis go raibh cuma ghránna ar an dá phéire acu. Níor chuir glór taobh thiar de aon iontas air.

"Buataisí is ea iad pé scéal é," arsa an Glór.

"Is ea – buataisí déirce," arsa Mr Tomás Mac Amhra, agus a chloigeann claonta aige, á bhfaire go déistineach; "agus cén péire acu is gránna san ollchruinne seo uile? Sin rud nach bhfeadar!"

"H'm," arsa an Glór.

"Chaith mé péire ní ba mheasa - go deimhin, shiúil mé cosnocht. Ach ní raibh aon phéire agam chomh gránna leo - i gcead duit. Tá bróga réamhchaite á lorg agam le roinnt laethanta. Bhí mé bréan díobhsan. Tá siad breá tacúil gan amhras. Ach feiceann an fear uasal an iomad dá chuid buataisí ar an bhfear déirce. Agus má chreideann tú mé, níor éirigh liom teacht ar phéire eile, sa tír go léir, ach iadsan. Féach orthu! Agus is tír mhaith í le haghaidh na mbróg, tríd is tríd. Ach níl an t-ádh liom. Fuair mé mo bhuataisí sa tír seo le deich mbliana anuas nó níos mó. Agus ansin, caitheann siad mar seo leat."

"Is ainnis an tír í," arsa an Glór. "Agus tá muca de dhaoine inti."

"Nach fíor é?" arsa Mr Tomás Mac Amhra. "A Thiarcais! Ach na buataisí sin. Sin í an sméar mhullaigh."

Thiontaigh sé a cheann d'fhonn féachaint thar a ghualainn ar dheis, go bhfaighfeadh sé amharc comparáide ar bhuataisí a chéile comhrá, agus mo léan! san áit ba chóir do bhuataisí an duine sin a bheith, ní raibh cosa ná buataisí. Bhí ionadh an domhain air. "Cá bhfuil tú?" arsa Mr Tomás Mac Amhra thar a ghualainn agus é ag iompú ar a ghlúine agus ar a lámha. Chonaic sé roimhe réim fhairsing fholamh an ghleanna agus duilliúr glas biorach an aitinn ag lúbadh faoin ngaoth.

"An bhfuilim ar meisce?" arsa Mr Mac Amhra. "An bhfuil speabhraídí orm? An liom féin a bhí mé ag caint? Cad a—"

"Ná bíodh aon ionadh ort," arsa an Glór.

"Ná bac le do bholgchaint liomsa," arsa Mr Tomás Mac Amhra agus é ag éirí ar a chosa go pras. "Cá bhfuil tú? Ionadh, go deimhin!"

"Ná bíodh aon ionadh ort," arsa an Glór arís.

"Ortsa a bheidh an t-ionadh i gcionn nóiméid, a leibide," arsa Mr Tomás Mac Amhra. "Cá bhfuil tú? Fan go bhfeice mé...

"An bhfuil tú curtha faoi thalamh?" arsa Mr Tomás Mac Amhra tar éis tamaill.

Freagra ní bhfuair sé. Sheas Mr Tomás Mac Amhra ansin agus ionadh air, gan bhróg ar a chos agus a sheaicéad beagnach bainte de.

"Píobhait," arsa pilibín míog i gcéin.

"Píobhait, go deimhin!" arsa Mr Tomás Mac Amhra. "Caith uait do chuid pleidhcíochta." Ní raibh duine ná deoraí sa ghleann, thoir ná thiar, thuaidh ná theas; bhí an bóthar, a raibh díoga éadoimhne agus cuaillí bána fad a gciumhaiseanna, ciúin folamh ó thuaidh agus ó dheas, agus seachas an pilibín míog sin, bhí an spéir folamh chomh maith. "Cabhraigh liom, más ea," arsa Mr Tomás Mac Amhra, agus é ag tarraingt a chóta ar a ghuailne arís. "An deoch atá ann! Tá a fhios agam go maith é."

"Ní hí an deoch atá ann," arsa an Glór. "Ceap do shuaimhneas."

"Obh!" arsa Mr Mac Amhra, agus d'éirigh a aghaidh mílítheach idir na smálta grís. "An deoch atá ann!" arsa a bheola gan fuaim a dhéanamh. D'fhan sé mar a raibh sé agus é ag stanadh uime agus é ag tiontú go mall i leith a chúil. "Thabharfainn an leabhar gur chuala mé glór," ar seisean de chogar.

"Chuala gan amhras."

"Sin é arís é," arsa Mr Mac Amhra, agus a shúile á ndúnadh aige agus a lámh á leagan ar a chlár éadain aige. Rugadh ar a bhóna de gheit agus baineadh croitheadh fíochmhar as, rud a d'fhág mearbhall ní ba mheasa air. "Bíodh ciall agat," arsa an Glór arís.

"Tá — mo — chiall — caillte — agam," arsa Mr Mac Amhra. "Níl aon mhaith déanta. Imní faoi na diabhal bróga sin is cúis leis. Tá mo chiall caillte agam. Nó ainspridí atá ann."

"Ní ceachtar acu é," arsa an Glór. "Éist!"

"Speabhraídí," arsa Mr Mac Amhra.

"Fan bog," arsa an Glór go diongbháilte agus go daingean.

"Huth?" arsa Mr Tomás Mac Amhra, agus bhraith sé gur sháigh duine éigin soc méire ina ucht.

"Is dóigh leat nach bhfuil ionam ach samhlaíocht? Samhlaíocht, sin uile?"

"Cad eile a d'fhéadfadh a bheith ionat?" arsa Mr Tomás Mac Amhra, agus cuing a mhuiníl á cuimilt aige.

"Go breá," arsa an Glór, amhail is go raibh faoiseamh air. "Caithfidh mé púróga leat nó go dtaga tú ar athrach intinne."

"Ach cá bhfuil tú?"

Níor thug an Glór aon fhreagra air. D'eitil púróg de shioscarnach tríd an aer i bhfoisceacht leithead ribe gruaige do ghualainn Mhr Mhic Amhra. Chonaic Mr Mac Amhra, ar a thiontú dó, púróg ag eitilt in airde san aer, conair chasta a leanúint, foluain a dhéanamh ar feadh nóiméid agus ansin teilgean i dtreo a chos ar nós na gaoithe. Bhí a oiread sin iontais air nárbh fhéidir leis a seachaint. Rinne sí siúrsán san aer, agus phreab sí óna mhéar coise isteach sa díog. Léim Mr Tomás Mac Amhra troigh san aer agus lig sé uaill as. Ansin thosnaigh sé ag rith, bhain rud éigin tuisle as agus thit sé i mullach a chinn agus leandáil sé ar a thóin ina shuí.

"Anois duit," arsa an Glór, agus an tríú púróg ag éirí in airde san aer, agus í ansin os cionn an bhacaigh ar foluain. "An samhlaíocht atá ionam?"

D'éirigh Mr Mac Amhra ar a chosa ar éigean agus baineadh tuisle as arís láithreach. D'fhán sé ina thost ar feadh tamaill. "Má dhéanann tú aon streachailt eile," arsa an Glór, caithfidh mé an phúróg le do chloigeann."

"Is ait an scéal é," arsa Mr Tomás Mac Amhra agus é ag suí aniar; rug sé ar mhéar ghortaithe a choise agus d'fhéach sé ar an dtríú diúracán. "Ní thuigim in aon chor é. Clocha á bhféinchaitheamh. Clocha ag caint. Síos leat. Lobh leat. Tá mo phort seinnte."

Thit an tríú púróg chun talún.

"Tá sé an-simplí," arsa an Glór. "Is fear mé nach féidir a fheiscint."

"Nach bhfuil a fhios agam é sin," arsa Mr Mac Amhra agus é ag fulaingt le pian. "Cá bhfuil tú i bhfolach – conas a dhéanann tú é – níl a fhios agam é. Níl cliú agamsa."

"Sin a bhfuil faoi," arsa an Glór. "Ní féidir m'fheiscint. Sin é an rud atá le tuiscint agat."

"D'fheicfeadh duine ar bith é sin. Ní gá duit a bheith chomh mífhoighneach sin in aon chor, a dhuine uasail. Anois, ambaist. Tabhair leid dom. Cén folach atá agat?"

"Ní féidir m'fheiscint. Sin é bun agus barr an scéil. Agus is é an rud atá le tuiscint agat—"

"Ach cén áit?" arsa Mr Mac Amhra.

"Anseo! Sé slata os do chomhair amach."

"Tá, mhuis! Nílim caoch. Déarfaidh tú anois liom nach bhfuil ionat ach aer glan. Ní bacach dúr mise—"

"Sin atá ionam — aer glan. Tá tú ag féachaint tríom."

"Ná habair! An bhfuil aon tsubstaint leat in aon chor? *Vox et* — cad atá ann? — ráiméis. An é sin é?"

"Níl ionam ach duine daonna — duine soladach a bhfuil bia, deoch agus clúdach de dhíth air — Ach táim dofheicthe. An dtuigeann tú? Dofheicthe. Smaoineamh simplí. Dofheicthe."

"Duine ceart, an ea?"

"Sea, ceart."

"Sín chugam do lámh," arsa Mac Amhra, "más duine ceart thú. Ní haon iarratas ró-mhór é, mhuis — *A Thiarcais*!" arsa seisean, "bhain tú an t-anam asam! — ag breith orm mar sin!"

Leag sé a mhéaracha ar an láimh a raibh greim aici ar chaol a láimhe féin agus shiúil sé a mhéaracha go critheaglach suas an ghéag, mhothaigh sé ucht matánach, agus chuimil sé aghaidh fhéasógach. Bhí cuma an iontais ar aghaidh Mhic Amhra.

"Ar m'anam!" ar seisean. "Sáraíonn sé sin a bhfaca mé ariamh! Iontas na n-iontas! — Agus is féidir liom coinín a fheiscint tríot ansin leathmhíle ó bhaile! Gan oiread na fríde díot le feiscint — seachas—"

Scrúdaigh sé an comhfhás go grinn. "An raibh tú ag ithe aráin agus cáise?" ar seisean agus greim aige ar ghéag an fhir dhofheicthe.

"Tá an ceart agat, agus níl sé díleáite sa chóras fós."

"Á!" arsa Mr Mac Amhra. "Mar a bheadh taibhse, áfach."

"Níl sé leath chomh hiontach agus a cheapann tú, gan amhras."

"Tá sé sách iontach do na mianta measartha atá agamsa," arsa Mr Tomás Mac Amhra. "Conas a rinne tú é! Conas sa tsioc a dhéantar é?"

"Scéal fada atá ann. Agus anuas air sin—"

"Ní féidir liomsa bun ná barr a dhéanamh de, pé scéal é," arsa Mac Amhra.

"Is é ba mhian liom a rá i láthair na huaire: Tá cúnamh de dhíth orm. Sin mar atá agam — Tháinig mé ort gan choinne. Bhí

70

mé ag fánaíocht liom, ar deargbhuile, lomnocht, dímbríoch. D'fhéadfainn duine a mhárú. Agus chonaic mé tusa—"

"A Thiarcais!" arsa Mac Amhra.

"Tháinig mé aniar aduaidh ort — chaill mé misneach — lean mé orm—"

D'fhéach Mr Mac Amhra go tromchiallach air.

"—ansin stad mé. 'Seo agam,' arsa mise, 'díbeartach ar mo dhála féin. Siod é an fear a bhí uaim.' Thiontaigh mé ar ais agus tháinig mé chugat — chugatsa. Agus—"

"A Thiarcais!" arsa Mr Mac Amhra. "Tá mearbhall orm. Mura miste mé a fhiafraí díot — Conas tá agat? Agus cén saghas cabhrach a bheadh de dhíth ort? — Dofheicthe!"

"Ba mhaith liom do chúnamh chun éadaí a fháil — agus foscadh — agus ansin, chun rudaí eile a dhéanamh. Tá siad sách fada gan déanamh. Mura ndéanfaidh tú — bhuel! Ach déanfaidh tú — *ní mór duit.*"

"Cogar," arsa Mr Mac Amhra. "Táim ró-thrína chéile. Ná buail arís mé. Agus scaoil liom. Ní mór dom mé féin a shocrú. Agus ba dhóbair duit méar mo choise a bhriseadh. Tá an rud go léir an-mhíréasúnta. Gleannta folmha, spéir fholamh. Gan faic le feiscint ar feadh na mílte slí seachas an dúlra. Agus b'iúd ansin glór. Glór ó na flaithis! Agus clocha! Agus dorn — a Thiarcais!"

"Bíodh ciall agat," arsa an Glór, "óir caithfidh tú an post a roghnaigh mé duit a dhéanamh."

Phluc Mr Mac Amhra a leicne, agus bhí a shúile ar leathadh.

71

"Roghnaigh mé tusa," arsa an Glór. "Is tusa an t-aon duine seachas cuid de na hamadáin thíos ansin, a bhfuil a fhios aige go bhfuil a leithéid de rud ann agus fear dofheicthe. Caithfidh tú a bheith i do chúntóir agam. Cabhraigh liom — agus déanfaidh mé iontaisí duit. Fear cumhachtach is ea fear dofheicthe." Stad sé ar feadh soicind chun sraoth mór a ligean.

"Ach má dhéanann tú feall orm," ar seisean, "mura ndéanfaidh tú rud orm—" Stad sé agus bhuail sé a mhéar ar ghualainn Mhr Mhic Amhra. Lig Mr Mac Amhra uaill uafáis as nuair a teagmhaíodh dó. "Níor mhaith liom do thréigean," arsa Mr Mac Amhra, agus é ag bogadh ar shiúl ó na méaracha. "Ná cuimhnigh ar a leithéid, pé rud a dhéanfaidh tú. Níl uaim ach teacht i gcabhair ort — abair liom a bhfuil le déanamh agam. (A Thiarcais!) Pé rud is mian leat a chur i gcrích, táimsa breá sásta é a dhéanamh."

72

CAIBIDIL X
CUAIRT MHR MHIC AMHRA AR BHAILE IPA

Ach ar mhaolaigh an chéad taom scaoill, tosaíodh an argóintíocht i mBaile Ipa. Bhíothas in amhras — amhras neirbhíseach, gan a bheith diongbháilte ar chor ar bith, ach amhras mar sin féin. Is furasta i bhfad gan géilleadh d'fhear dofheicthe; agus bhíothas in ann líon na ndaoine sin a chonaic é ag leá go haer, nó a mhothaigh neart a ghéige, bhíothas in ann a gcomhaireamh ar mhéaracha dhá láimh. Agus as na finnéithe sin bhí Mr Uaitsir ar iarraidh faoi láthair, ach ar chúlaigh sé laistiar de bholtaí agus de bharraí a thí féin, agus bhí Mac Seafair ina luí gan aithne gan urlabhra i bparlús an Chóiste agus Capaill. Is minic nach dtéann idéanna móra agus aduaine a sháraíonn an taithí i bhfeidhm ar fhir agus ar mhná chomh maith céanna le tuairimí níos lú agus níos ionsamhlaithe. Bhí Baile Ipa maisithe le stiallbhratacha agus bhí cách faoi ghléasadh fleidhe. Bhíothas ag súil le Luan Cincíse le mí nó breis. Faoin tráthnóna, bhí na daoine sin a ghéill don ní Neamhfheicthe ag cur tús arís go doicheallach lena mbothanna siamsaíochta, agus iad ag déanamh talamh slán de gur imigh sé leis, agus bhí sé ina cheap magaidh cheana féin ag Tomáisíní an amhrais. Ach bhí daoine, idir lucht géillte agus amhrais araon, an-sóisialta an lá uile.

Bhí puball ina sheasamh i móinéar Mhic Scolóige, ina raibh Mrs Uí Bhuintín agus mná eile ag réiteach tae, agus lasmuigh, bhí ráiseanna ar siúl ag leanaí scoil an Domhnaigh agus bhí siad ag imirt cluichí faoi mhaoirseacht challánach Misses de Cus agus Uí Mhangáin. Bhíothas ábhairín míshuaimhneach, ní nach ionadh, ach den chuid ba mhó bhí sé de chiall ag daoine pé amhras samhlaíoch a bhí acu a chur faoi chos. Ar phlásóg an bhaile bhí téad ar crochadh le fána arbh fhéidir le duine breith ar hanla na hulóige a bhí ag rith air agus a cholainn a theilgean de ruathar i gcoinne saic ag bun na fána agus ba mhór an tóir a bhí air i measc na n-óganach, mar a bhí ar na luascáin agus ar bhothanna amais na gcnónna cócó. Bhíothas ag siúl ar fud an bhaill chomh maith, agus líon an t-orgán gaile a bhí i bhfostú de thimpeallán beag, líon sé an t-aer le boladh géar íle agus le ceol a bhí chomh géar céanna. Bhí baill an chlub, a bhí ar aifreann ar maidin, ag caitheamh a suaitheantas bándearg agus uaine, agus bhí a mbabhlaeirí ar a gceann ag an gcuid ba mhisniúla acu agus iad maisithe le ribíní gealdaite. Bhí Mac an Leastair, seanfhear a raibh tuairimí duairce aige faoi laethanta saoire, le feiscint tríd an tseasmain a bhí um a fhuinneog nó tríd an doras a bhí ar leathadh (pé slí ba mhian le duine féachaint air), agus é ina sheasamh go leochaileach ar chlár adhmaid a bhí ina luí ar dhá chathaoir, agus é ag aoldathú shíleáil an tseomra tosaigh.

Um a ceathair a chlog, tháinig strainséir isteach sa bhaile ó aird na ngleannta. Giodamán a bhí ann agus hata ard smolchaite ar a cheann aige agus bhí an chuma air go raibh saothar mór anála air. Bhí a leicne ag liobarna agus teannphlucach, gach re seal. Bhí cuma fhaiteach ar a éadan breac, agus ghluais sé le díocas drogallach. Chuir sé coirnéal an tséipéil de agus thug sé aghaidh ar an gCóiste agus Capaill. Is cuimhin le Mac an Leastair, i measc daoine eile, é a fheiscint; leoga, bhí an seanfhear chomh tógtha sin leis an bhfuadar a bhí faoi gur lig sé beagán den aoldath, dá ainneoin, sileadh síos an scuab isteach i muinchille a chóta agus é ag faire air.

Dar leis an bhfear a bhí i bhfeighil bhoth amais na gcnónna cócó, bhí an strainséir sin ag caint leis féin, agus dúirt Mr Mac an Cheannaí an rud céanna faoi. Stad sé ag bun chéimeanna an Chóiste agus Capaill, agus dar le Mr Mac an Cheannaí, bhí an chuma air go raibh a intinn cráite agus é ag cuimhneamh ar dhul isteach sa teach. I ndeireadh na dála, mháirseáil sé in airde na céimeanna, agus chonaic Mr Mac an Cheannaí é ag tiontú ar chlé agus ag oscailt dhoras an pharlúis. Chuala Mr Mac an Cheannaí glórtha laistigh den seomra agus ón mbeár a chuir a bhotún in iúl don fhear. "Seomra príobháideach é sin!" arsa de Hál, agus dhún an strainséir an doras go hamscaí agus isteach sa bheár leis.

Faoi cheann cúpla nóiméad b'iúd arís é, agus é ag cuimilt chúl a láimhe dá bheola agus cuma na sástachta air, rud a chuaigh i gcion ar shlí éigin ar Mhr Mac an Cheannaí. Sheas sé ann ar feadh roinnt nóiméad agus é ag féachaint uime, agus ansin chonaic Mr Mac an Cheannaí é agus é ag siúl go slítheánta i dtreo gheataí an chlóis, ar aghaidh fhuinneog an pharlúis amach. Stad an strainséir ar feadh tamaillín, chlaon sé i gcoinne ceann de phostaí an gheata, tharraing sé amach dúidín, agus chrom sé ar a líonadh. Bhí a mhéaracha ar crith agus é á dhéanamh. Las sé go hamscaí é, d'fhill sé a lámha ar a chéile agus thosnaigh sé ag ól a phíopa ar nós cuma liom, ach bhréagnaigh an tsúil a chaitheadh sé suas an clós anois agus arís é sin.

Chonaic Mr Mac an Cheannaí an méid sin go léir thar na cannaí ar fhuinneog an tobac, agus thug an t-iompar aisteach a bhí faoi air súil a choinneáil ar an bhfear.

Sheas an strainséir de gheit agus chuir sé a phíopa ina phóca. D'imigh sé as radharc isteach sa chlós ansin. Léim Mr Mac an Cheannaí, ar a shamhlú dó go raibh mionghadaíocht éigin á fheiscint aige, léim sé timpeall an chuntair agus rith sé amach ar an mbóthar chun an gadaí a ghabháil. Agus é á dhéanamh sin, chonaic sé Mr Mac Amhra arís, a hata ar fiar aige, beartán mór in éadach boird gorm i láimh amháin, agus trí leabhar i gceangal dá chéile – le gealasacha an bhiocáire a fuarthas amach ina dhiaidh sin – sa láimh eile. Ach a bhfaca sé Mac an Cheannaí baineadh cnead as, thiontaigh sé go gasta ar chlé agus thosnaigh sé ag rith. "Stad, a ghadaí!" arsa Mac an Cheannaí, agus rith sé ina dhiaidh. Chonaic sé an fear díreach os a chomhair amach agus é ag déanamh ar choirnéal an tséipéil agus bóthar an chnoic de ruathar. Chonaic sé bratacha agus an ceiliúradh sa bhaile roimhe, agus thiontaigh aghaidh nó dhó ina threo. "Stad!" ar seisean arís de bhéic. Ba ar éigean a chuir sé deich dtruslóg de sular beireadh ar a lorga ar bhealach mistéireach éigin, agus ní ag rith a bhí sé a thuilleadh, ach ag eitilt go gasta tríd an aer. Chonaic sé an talamh gar dá aghaidh gan ró-mhoill. Bhí an chuma ar an scéal go ndearnadh milliún splanc guairneáin solais den saol, agus níor chuir sé spéis inar thit amach ina dhiaidh sin.

CAIBIDIL XI
SA CHÓISTE AGUS CAPAILL

D'fhonn an méid a thit amach sa tábhairne a thuiscint i gceart, ní mór féachaint siar ar an uair sin a fuair Mr Mac an Cheannaí radharc trína fhuinneog ar Mhr Mac Amhra.

Um an dtaca sin go díreach bhí Mr de Cus agus Mr Ó Buintín sa pharlús. Bhí imeachtaí aisteacha na maidine á bhfiosrú go grinn acu, agus bhí giúirléidí an Fhir Dhofheicthe á ngrinnscrúdú acu, le caoinchead Mhr de Hál. Bhí Mac Seafair ag teacht chuige féin, de bheagán, ón titim a bhain de agus chuaigh sé abhaile faoi chúram a chairde truachroíocha. Ba í Mrs de Hál a bhailigh éadaí scaipthe an fhir le chéile agus a chuir caoi ar an seomra. Agus faoin mbord faoi bhun na fuinneoige, áit a mbíodh an strainséir ag obair, tháinig Mr de Cus ar thrí leabhar mhóra faoi chlúdach lámhscríofa dar teideal "Dialann."

"Dialann!" arsa Mr de Cus, agus na trí leabhar á leagan ar an mbord aige. "Foghlaimeoimid rud éigin anois, ar aon chuma." Sheas an biocáire ann agus a lámha ar an mbord aige.

"Dialann," arsa Mr de Cus agus é ag suí síos; leag sé imleabhar amháin anuas ar dhá imleabhar eile agus d'oscail sé é. "H'm — níl ainm ar bith ar an gcéad leathanach. Damnú! — rúnscríobh. Agus figiúirí."

Tháinig an biocáire anall le féachaint thar a ghualainn.

D'iompaigh Mr de Cus na leathanaigh agus cuma an díomá ar a aghaidh. "Táim — mo léan! Rúnscríbhinn atá ann, a Bhuintínigh."

"Nach bhfuil aon léaráidí ann?" arsa Mr Ó Buintín. "Aon léaráid a d'fhoilseodh—"

"Féach air thú féin," arsa Mr de Cus. "Matamaitic atá i gcuid áirithe de agus Rúisis nó teanga eile dá leithéid (de réir na litreacha) atá i gcuid eile, agus Gréigis atá i gcuid eile. Maidir leis an nGréigis, mheas mé go bhféadfása—"

"Gan amhras," arsa Mr Ó Buintín agus é ag baint a spéaclaí as a phóca agus á nglanadh agus míshuaimhneas ag teacht air — óir ní raibh Gréigis dá laghad fágtha ina mheabhair aige; "sea — an Ghréigis, gan amhras, seans go mbeadh leid ann."

"Aimseoidh mé áit duit."

"B'fhearr liom súil a chaitheamh ar na chéad imleabhair," arsa Mr Ó Buintín, agus é fós ag glanadh na spéaclaí. "Tuairim ghinearála ar dtús, Mr de Cus, agus *ansin*, tá a fhios agat, is féidir linn dul ar thóir leideanna."

Lig sé casacht as, chuir sé a spéaclaí air, shocraigh sé go cúramach ar a shrón iad, lig sé casacht eile as, agus shantaigh sé teagmhas éigin a tharraingeodh aird óna éagumas. Ansin ghlac sé an t-imleabhar a thug Mr de Cus dó ar bhealach nóscumaliom. Agus, ansin tharla rud éigin.

Osclaíodh an doras go hobann.

Baineadh geit uafásach as an mbeirt fhear, d'fhéach siad i dtreo an dorais, agus bhí faoiseamh orthu aghaidh phaiste-dhearg faoi hata síoda fionnaidh a fheiscint. "An beár?" arsa an aghaidh, agus d'fhan ann ag stánadh.

"Ní hea," arsa an bheirt fhear le chéile.

"Thall ar an dtaobh eile, a fhir," arsa Mr Ó Buintín. Agus "Dún an doras le do thoil," arsa Mr de Cus go cantalach.

"Ceart go leor," arsa an fear a tháinig isteach, i nglór a bhí ní b'ísle, dar leo, ná mar a bhí nuair a cuireadh an chéad cheist. "Go breá," arsa an fear a tháinig isteach sa chéad ghlór. "Seas siar!" agus d'imigh sé leis agus dhún sé an doras.

"Mairnéalach, déarfainn," arsa Buintíneach. "Dream faoi leith iad. Seas siar! go deimhin. Téarma loingseoireachta, ag caint ar sheasamh siar amach as an seomra, is dócha."

"Is dócha é," arsa Mr de Cus. "Tá mo néaróga trína chéile inniu. Baineadh geit asam nuair a osclaíodh an doras mar sin."

Rinne Mr Ó Buintín gáire amhail is nár baineadh aon gheit as-san. "Agus anois," ar seisean agus lig sé osna as, "na leabhair seo."

Chuala sé smaoisíl.

"Táim cinnte faoi rud amháin," arsa an Buintíneach agus é ag tarraingt cathaoireach i leith in aice le cathaoir Mhr de Cus. "Is cinnte gur tharla imeachtaí fíor-aisteach i mBaile Ipa le roinnt laethanta anuas — fíor-aisteach go deo. Ní ghéillim in aon chor do scéal seo na dofheictheachta—"

"Tá sé dochreidte," arsa de Cus—"dochreidte. Ach mar sin féin d'fhéach mé — is cinnte gur fhéach mé siar muinchille a chóta—"

"Ach ar fhéach — an bhfuil tú deimhnitheach de sin? Abair gur scáthán a bhí ann — is furasta an dallamullóg a chur ar dhuine. Ní fheadar an bhfaca tú cleasaí den scoth riamh—"

"Ní rachaimid in achrann faoi arís," arsa Mr de Cus. "Chíoramar go mion é, a Bhuintínigh. Agus i láthair na huaire tá na leabhair seo — Á! seo chuid den scríbhinn ar Gréigis í, is dóigh liom! Aibítir na Gréigise, go cinnte."

Shín sé a mhéar i dtreo lár an leathanaigh. Dheargaigh aghaidh Mhr Uí Bhuintín, de bheagán, agus chrom sé a aghaidh i dtreo an leathanaigh agus an chuma ar an scéal go raibh deacracht aige lena spéaclaí. Mhothaigh sé míshuaimhneas éigin ar chuing a mhuiníl gan choinne. Rinne sé iarracht a chloigeann a ardú ach bhí rud éigin ag cur ina choinne. Mhothaigh sé brú aisteach, mar a bheadh greim daingean trom láimhe, agus brúdh a smig anuas ar an mbord. "Ná bogaigí, a fhiríní," arsa glór de chogar, "nó bascfaidh mé an bheirt agaibh!" D'fhéach sé ar aghaidh Mhr de Cus, a bhí gar dá aghaidh féin, agus chonaic an bheirt acu scáth a iontais féin sa duine eile.

"Tá brón orm a bheith chomh garbh seo libh," arsa an Glór, "ach níl aon neart air."

"Cén fáth a bhfuil sibh ag gliúcaíocht i scríbhinní príobháideacha turgnamhaí?" arsa an Glór; agus buaileadh a dhá smig ar an mbord in éineacht agus creathadh a dhá chár.

"Cén fáth a ndearna sibh fogha ar sheomraí príobháideacha fir ar bhain mí-ádh dó?" agus buaileadh arís iad.

"Cár chuir siad mo chuid éadaí?"

80

"Éistigí," arsa an Glór. "Tá glas ar na fuinneoga agus bhain mé an eochair as an ndoras. Is duine sách láidir mé, agus tá bior na tine ar láimh agam — gan trácht ar a bheith dofheicthe. Níl dabht dá laghad ann ach go bhféadfainn an bheirt agaibh a mharú agus na cosa a thabhairt liom dá dtogróinn é — an dtuigeann sibh? Go breá. Má scaoilim libh an ngeallfaidh sibh dom rud a dhéanamh orm agus fanacht socair?"

D'fhéach an biocáire agus an dochtúir ar a chéile, agus chuir an dochtúir strainc air féin. "Geallaim," arsa Mr Ó Buintín agus rinne an dochtúir amhlaidh. Ansin scaoileadh leis an mbrú a bhí ar chuing a muiníl, agus shuigh an dochtúir agus an biocáire in airde; bhí aghaidh na beirte dearg agus bhí siad ag croitheadh a gcinn.

"Fanaigí in bhur suí mar a bhfuil sibh, le bhur dtoil," arsa an Fear Dofheicthe. "Seo agaibh bior na tine, an bhfeiceann sibh?"

"Nuair a tháinig mé isteach sa seomra seo," arsa an Fear Dofheicthe, tar éis dó bior na tine a chur le srón na beirte, "ní raibh mé ag súil le daoine a bheith ann, agus bhí mé ag súil le culaith, mar aon le mo scríbhinní, a bheith anseo romham. Cá bhfuil an chulaith? Ná héirígí. Feicim nach bhfuil sí anseo. I láthair na huaire, cé go bhfuil na laethanta sách brothallach go rithfeadh fear dofheicthe timpeall lomnocht, tá na hoícheanta sách fuar. Tá éadaí uaim — agus lóistín eile; agus caithfidh mé na leabhair sin a thabhairt liom leis."

CAIBIDIL XII
RACHT FEIRGE AN FHIR DHOFHEICTHE

Faraor, ní mór cur isteach ar an scéal arís, ar chúiseanna truamhéalacha a thuigfear láithreach, ach níl aon neart air. Agus imeachtaí ag titim amach sa pharlús, agus Mr Mac an Cheannaí ag faire ar Mhr Mac Amhra agus a phíopa á ól aige i gcoinne an gheata, gan ach dosaen slat uaidh bhí Mr de Hál agus Tadhg Ó hIonfraí ag plé ceann d'ábhar iontais Bhaile Ipa.

Chualathas plab fíochmhar i gcoinne dhoras an pharlúis gan choinne, mar aon le uaill ghéar, agus ansin — tost.

"Hul-ló!" arsa Tadhg Ó hIonfraí.

"Hul-ló!" ón mbeár.

Chuir Mr de Hál bior ar a chluasa. "Is ait liom sin," ar seisean agus tháinig sé amach ón mbeár i dtreo dhoras an pharlúis.

Tháinig sé féin agus Tadhg i dtreo an dorais go diongbháilte. Bhí a súile ag faire rompu. "Tá rud éigin ar bun," arsa de Hál agus sméid Ó hIonfraí a cheann d'fhonn aontú leis. Bhí boladh bréan ceimiceáin á fháil acu agus chuala siad fuaim dhoiléir chomhrá a bhí an-tapaidh.

"An bhfuil sibh i gceart?" arsa Mr de Hál agus é ag cnagadh ar an ndoras.

Tháinig deireadh leis an gcomhrá doiléir, bhí tost ann ar feadh soicind, ansin lean an comhrá ar aghaidh, de chogarnaíl, agus ansin arsa liú géar, "Ná déan!" Ansin chuala siad gluaiseacht obann agus cathaoir á leagan agus iomrascáil ghairid. Tost arís.

82

"Cad atá ar siúl?" arsa an tIonfraíoch de bhéic, *sotto voce*.

"An — bhfuil — sibh — i gceart?" arsa Mr de Hál os ard arís.

D'fhreagair glór an bhiocáire agus é ar creathadh, ba chosúil: "Díreach c-ceart. Ná cuir isteach orainn, le do thoil."

"Nach ait!" arsa Mr Ó hIonfraí.

"Nach ait!" arsa Mr de Hál.

"Deir sé 'gan cur isteach orthu'," arsa an tIonfraíoch.

"Chuala mé é," arsa an Hálach.

"Agus smaoisíl," arsa an tIonfraíoch.

D'fhan siad ann ag éisteacht. Bhí an comhrá tapaidh agus faoi cheilt. "Ní féidir liom," arsa Mr Ó Buintín, agus a ghlór ag géarú; "Cogar, a fhir, ní dhéanfaidh mé."

"Cad a bhí ansin?" arsa an tIonfraíoch.

"Deir sé nach ndéanfaidh sé é," arsa an Hálach. "An linne a bhí sé ag caint, an dóigh leat?"

"Mór an náire!" arsa Mr Ó Buintín, laistigh.

"Mór an náire," arsa Mr Ó hIonfraí. "Chuala mé é — go soiléir."

"Cé atá ag caint anois?" arsa an tIonfraíoch.

"Mr de Cus, is dócha," arsa an Hálach. "An féidir leat aon ní a chlos?"

Tost. Na fuaimeanna laistigh doiléir agus dothuigthe.

"Tá an chuma ar an scéal go bhfuil éadach an bhoird á chaitheamh ar fud an bhaill," arsa Mr de Hál.

Tháinig Mrs de Hál laistiar den bheár. Chomharthaigh Mr de Hál di a bheith ciúin agus gabháil i leith. Bhíog sé sin fonn neamhghéilliúna Mhrs de Hál, mar is dual do bhean chéile. "Cad leis a bhfuil sibh ag éisteacht, Hál?" ar sise. "Nach bhfuil rud ar bith eile is fearr a dhéanfá — lá gnóthach mar seo?"

Rinne an Hálach iarracht gach aon ní a chur in iúl le gothaí agus geáitsíocht, ach bhí Mrs de Hál dall air. D'ardaigh sí a glór. Dá bhrí sin, théaltaigh an Hálach agus an tIonfraíoch, a ghéill di, ar ais chuig an mbeár chun an scéal a mhíniú di.

Dhiúltaigh sí ar dtúis aon ní as ord a fheiscint sa mhéid a chuala siad. Ansin thug sí ar an Hálach a bheith ina thost, fad a d'inseodh an tIonfraíoch a scéalsa di. Seafóid ar fad a bhí ann, dar léi — seans gur ag bogadh troscáin a bhí siad. "Chuala mé 'mór an náire' á rá aige, chuala mé é mhuis," arsa Mr de Hál.

"Chuala mise an méid sin, a Mhrs de Hál," arsa an tIonfraíoch.

"Dheara, is dócha—" arsa Mrs de Hál.

"Fuist" arsa Mr Tadhg Ó hIonfraí. "Arbh in torann fuinneoige?"

"Cén fhuinneog?" arsa Mrs de Hál.

"Fuinneog an pharlúis," arsa an tIonfraíoch.

Chuir gach duine acu bior ar a gcluasa. Bhí Mrs de Hál ag stánadh roimpi amach mar a bhfaca sí, gan a thabhairt faoi deara, fad-dealbh gheal dhoras an tábhairne, an bóthar gléigeal, agus éadan shiopa Mhic an Cheannaí a bhí ag glioscarnach faoi ghrian gharg an Mheithimh. Osclaíodh doras Mhic an Cheannaí go hobann agus amach leis, é ag stánadh roimhe agus a ghéaga á luascadh aige. "Hé!" arsa Mac an Cheannaí. "Stad, a ghadaí!" agus rith sé go fiar trasna na fad-deilbhe i dtreo gheataí an chlóis, agus as radharc.

Chualathas an clampar sa pharlús, agus torann na bhfuinneog á ndúnadh, ag an am céanna.

Rith an Hálach, an tIonfraíoch agus a raibh de dhaoine sa bheár amach de ruathar ina liútar éatar ar an tsráid. Chonaic siad duine ag síobadh timpeall an choirnéil i dtreo an bhóthair, agus Mr Mac an Cheannaí ag tabhairt léime san aer a d'fhag ar a aghaidh agus ar a ghualainn ar an dtalamh é. Na daoine a bhí thíos ar an tsráid, bhí siad ina seasamh ann agus ionadh orthu nó ag rith ina dtreo.

Bhí ionadh ar Mhr Mac an Cheannaí. Stad an tIonfraíoch chun féachana, ach rith an Hálach agus an bheirt fhostaithe ón mBeár chuig an gcúinne, iad ag screadaíl go doiléir, agus chonaic siad Mr Mac Amhra agus é ag imeacht as radharc timpeall choirnéal bhalla an tséipéil. Ba chosúil gur mheas siad, ar chuma iontach éigin, gurbh é sin an Fear Dofheicthe a bhí infheicthe arís, agus chuaigh siad sa tóir air fan lána. Ba ar éigean a chuir an Hálach dosaen slat de sular lig sé uaill iontais as agus cuireadh ag eitilt go cliathánach é agus rug sé ar dhuine de na fostaithe agus thug sé chun talún é. Tugadh fogha faoi mar a thabharfaí fogha faoi fhear le linn cluiche peile. Chuaigh an dara fostaí seachad orthu, stán sé, agus ó ba rud é gur mheas sé gur thit an Hálach as a stuaim féin, thiontaigh sé agus lean sé an tóraíocht, ach baineadh tuisle as lena rúitín dála Mhic an Cheannaí. Ansin, agus an chéad fhostaí ag éirí ina sheasamh, chuir lasc de chic a leagfadh capall i leith a chliatháin é.

Le linn a thitime, tháinig an mearshlua ó phlásóg an bhaile timpeall an choirnéil. Ba é an chéad duine a chonacthas úinéir bhoth amais na gcnónna cócó, burlamán i ngeansaí gorm. Bhí ionadh air ar a fheiscint dó go raibh an lána folamh seachas triúr fear a bhí ag iomrascáil gan dealramh ar an dtalamh. Ansin tharla rud éigin dá chos chúil agus cuireadh i ndiaidh a mhullaigh é agus rollaigh sé díreach in am go bhfeicfeadh sé cosa a dhearthár agus a leathbhádóra a bhí ag teacht sna sála air. Ciceáladh an bheirt, sádh glúine iontu, thit daoine tharstu, agus lig roinnt daoine a raibh an iomad deabhaidh orthu eascainí leo.

Anois, nuair a rith an Hálach agus an tIonfraíoch agus na fostaithe amach as an teach, d'fhan Mrs de Hál, a choinnigh guaim uirthi féin de bharr thaithí na mblianta, d'fhan sí sa bheár le hais scipéad an airgid. Osclaíodh doras an pharlúis go hobann, agus chonaic sí Mr de Cus, agus gan féachaint uirthi d'imigh sé de ruathar síos na céimeanna i dtreo an choirnéil. "Coinnítear greim air!" ar seisean de bhéic. "Ná ligtear dó an beart sin a chaitheamh uaidh."

Níorbh eol dó Mac Amhra a bheith ann. Óir thug an Fear Dofheicthe na leabhair agus an beart ar láimh uaidh sa chlós. Bhí cuma na feirge agus na diongbhála ar aghaidh Mhr de Cus, ach bhí a chulaith éadaigh lochtach, mar a bheadh filleadh beag liobarna bán a chaithfeadh duine sa Ghréig. "Coinnítear greim air!" ar seisean de bhéic. "Tá mo threabhsar aige!" Agus gach ball éadaigh dá raibh ar an mbiocáire.

"Déan cúram de ar feadh nóiméid!" ar seisean de bhéic leis an Ionfraíoch agus é ag imeacht thar Mhac an Cheannaí a bhí ina luí ar an dtalamh, agus, ar a theacht timpeall an choirnéil chuig an gcibeal dó, baineadh tuisle as agus thit sé isteach san iomrascáil mhíchuibhiúil. Shatail duine a bhí faoi lánrith ar a mhéar. Lig sé uaill as, rinne sé iarracht éirí ar a chosa, buaileadh é agus leagadh ar a lámha agus ar a ghlúine é, agus thuig sé nár chuid de ghabháil é ach de liútar éatar. Bhí gach éinne ag rith ar ais chun an bhaile. D'éirigh sé arís agus buaileadh go trom laistiar dá chluais arís é. D'imigh sé go tuisleach i dtreo an Chóiste agus Capaill láithreach, é ag léimt thar Mhac an Cheannaí tréigthe, a bhí ina shuí faoin am sin.

Chuala sé, laistiar de agus é leathshlí suas céimeanna an tábhairne, chuala sé uaill obann oilc, ag éirí go géar as an ruaille buaille, agus duine ag fáil boiseoige san aghaidh. D'aithin sé an glór - glór an Fhir Dhofheicthe - agus é ag fógairt na péine sin a bhíonn ar dhuine a mbuailtear paltóg air.

Faoi cheann nóiméid eile bhí Mr de Cus ar ais sa pharlús. "Tá sé ar a bhealach ar ais, a Bhuintínigh!" ar seisean ar a rith isteach dó. "Seachain!"

Bhí Mr Ó Buintín ina sheasamh san fhuinneog agus é ag iarraidh ruga an tinteáin agus an *West Surrey Gazette* a chur uime in ionad a chuid éadaí. "Cé atá chugainn?" ar seisean, agus an oiread sin iontais air gur dhóbair dá chulaith titim ó chéile air.

87

"An Fear Dofheicthe," arsa Mr de Cus, agus rith sé chuig an bhfuinneog. "B'fhearr dhúinn teitheadh! Tá sé ar deargbhuile! Ar deargbhuile!"

Faoi cheann nóiméid eile fós bhí sé lasmuigh sa chlós.

"A Thiarcais!" arsa Mr Ó Buintín, agus é idir an bád agus an balla. Chuala sé clampar uafásach i ndorchla an tábhairne, agus rinneadh an cinneadh dó. D'éalaigh sé amach tríd an bhfuinneog, ní gan dua, chuir sé caoi go gasta ar a chulaith éadaigh, agus d'éalaigh sé suas an baile chomh tapaidh agus a ligfeadh a dhá chos bheaga dó.

Ón uair a lig an Fear Dofheicthe uaill feirge as agus ar theith Mr Ó Buintín suas faoin mbaile, níorbh fhéidir cuntas leanúnach a thabhairt ar ar thit amach i mBaile Ipa. Seans gurbh é a bhí i gceist ag an bhFear Dofheicthe ar dtúis aird a bhaint de chúlú Mhic Amhra leis na héadaí agus na leabhair. Ach ba chosúil gur bhuail racht feirge é, cé nach ró-mhaith a choinníodh sé guaim air féin riamh, agus chrom sé láithreach ar dhaoine a leagan agus a bhascadh, ar mhaithe lena ngortú chun a shásaimh féin.

Ní mór duit an tsráid a shamhlú agus daoine ag rith ar fud an bhaill, doirse á bpabadh agus daoine ag baint na gcos dá chéile chun áiteanna folaigh a aimsiú. Samhlaigh an cliseadh a tháinig de gheit ar shocracht chláir adhmaid agus chathaoireacha Mhic an Leastair, agus an tubaist a lean. Samhlaigh lánúin ar luascán a raibh alltacht orthu. Agus ansin tá an cibeal imithe thar bráid agus tréigtear sráid Bhaile Ipa gona giúirléidí agus a bratacha, a cnónna cócó scaipthe, a scáthláin chanbháis leagtha, agus stoc trádála scriosta an díoltóra milseán, gan ann ach an té sin nárbh fhéidir a fheiscint. Cloistear dallóga á ndúnadh agus boltaí á ndaingniú, ach ní fheictear den chine daonna ach faiteadh súl faoi mhalaí ardaithe anois is arís i gcúinne fuinneoige.

Bhí spraoi ag an bhFear Dofheicthe ar feadh tamaillín agus é ag briseadh fhuinneoga uile an Chóiste agus Capaill, agus ansin theilg sé lampa sraide isteach trí fhuinneoig pharlús Mhrs Mhic Grobail. Ní foláir nó gurbh eisean a ghearr sreang an teileagraif chun an Dobharghleanna díreach ar an dtaobh thall de theachín na nUigíneach ar bhóthar an Dobharghleanna. Agus ina dhiaidh sin, ní raibh tásc ná tuairisc arís air i mBaile Ipa. D'imigh sé ó radharc go hiomlán.

Ach bhí dhá uair an chloig go maith ann sula ndeachaigh aon duine amach arís ar shráid thréigthe Bhaile Ipa.

CAIBIDIL XIII
CAINT AR SCOR MHR MHIC AMHRA

Bhí an lá ag diúltú dá sholas agus bhí mhuintir Bhaile Ipa ag speiceáil athuair ar an scrios a tharla an Luan Saoire Bainc sin, bhí bunastán faoi hata smolchaite síoda ag máirseáil go léanmhar sa chlapsholas laistiar den doire feá ar an mbóthar go Doire Driseáin. Bhí beartán trí leabhar aige a bhí ceangailte le chéile le téad maisithe leaisteach de shaghas éigin agus beart a bhí fillte in éadach boird gorm ar iompar aige. Ba léir ar a aghaidh fholúil go raibh sé trína chéile agus tugtha tnáite agus bhí an chuma air go raibh deifir air. Bhí glór seachas a ghlór féin in éineacht leis, agus bhí sé de shíor ag cur strainceanna air féin agus é i ngreim lámh nárbh fhéidir a fheiscint.

"Má éalaíonn tú uaim arís," arsa an Glór, "má dhéanann tú iarracht éalú uaim arís—"

"Obh, obh!" arsa Mr Mac Amhra. "Tá an ghualainn sin basctha brúite mar atá."

"Ar m'fhocal," arsa an Glór, "maróidh mé thú."

"Ní dhearna mé iarracht éalú uait," arsa Mac Amhra, de ghlór a bhí ar tí tosnú ag gol, ba dhóigh leat. "Ar m'anam, ní dhearna. Ní raibh an casadh ar eolas agam, sin uile! Conas a bheadh an diabhal casadh ar eolas agamsa? Mar a tharla, bascadh mé—"

"Bascfar arís thú má leanann tú ort," arsa an Glór, agus thit Mr Mac Amhra dá thost láithreach. Phluc sé a leicne, agus bhí rian an éadóchais ina shúile.

"Tá cúrsaí sách ainnis agus na bobarúin seo ag sceitheadh mo rúin, gan tusa a bheith ag teitheadh le mo chuid leabhar. Bhí an t-ádh ar chuid díobh gur thug siad na boinn as faoi mar a rinne! Seo anois mé ... Ní raibh a fhios ag éinne go bhfuilim dofheicthe! Agus cad a dhéanfaidh mé anois?"

"Cad a dhéanfaidh mise?" a d'fhiosraigh Mac Amhra, *sotto voce*.

"Tá an scéal amuigh. Beidh sé sna nuachtáin! Beidh gach éinne ar mo thóir; gach éinne san airdeall—" agus thosnaigh an Glór ag eascaíní go follasach agus stad sé.

Ghéaraigh ar an éadóchas ar aghaidh Mhr Mhic Amhra, agus mhaolaigh ar a luas.

"Brostaigh ort!" arsa an Glór.

D'éirigh aghaidh Mhr Mhic Amhra liath idir na paistí grís.

"Coinnigh greim ar na leabhair sin, a leibide," arsa an Glór go géar, agus shiúil sé amach thairis.

"Is í fírinne an scéil," arsa an Glór, "go mbeidh orm cur suas leatsa.... Is acra ainnis thú, ach beidh orm."

"Is acra *gan mhaith* mé," arsa Mac Amhra.

"Is fíor dhuit," arsa an Glór.

"Is mise an t-acra is measa a d'fhéadfadh a bheith agat," arsa Mac Amhra.

"Níl aon neart ionam," ar seisean tar éis tosta.

"Níl aon neart ró-mhór ionam," ar seisean arís.

"Nach bhfuil?"

"Agus tá mo chroí lag. An méid a thit amach — thug mé na cosa liom gan amhras — ach go bhfóire Dia orainn! Ba dhóbair dom titim."

"Abair leat!"

"Níl an misneach ná an bhrí ionam don méid atá uait."

"Spreagfaidh mise thú."

"B'fhearr liom nach ndéanfá. Níor mhaith liom praiseach a dhéanamh de do chuid pleananna, bíodh a fhios agat. Ach tharlódh sé — de bharr ainnise agus beagmhaitheasa."

"Níorbh fhearrde thú é!" arsa an Glór go diongbháilte.

"B'fhearr liom an bás," arsa Mac Amhra.

"Níorbh é an ceart é," ar seisean, "ní mór duit a admháil ... Dar liomsa, tá sé de láncheart agam—"

"Brostaigh ort!" arsa an Glór.

Ghéaraigh Mr Mac Amhra ar a luas agus bhí siad ina dtost ar feadh tamaill.

"Tá sé rí-dheacair," arsa Mac Amhra.

Níor tugadh aon toradh air. Bhain sé triail as cleas eile.

"Cén sochar a bhainfidh mé as?" ar seisean.

"Ó! *éist do bhéal*!" arsa an Glór, agus neart iontach ann. "Ní fhágfar ar an nganchuid thú. Déanfaidh tú a ndéarfar leat a dhéanamh. Déanfaidh tú go deimhin é. Is leibide thú, ach bainfear feidhm asat—"

"Deirim leat, a dhuine uasail, nach mise an fear chuige. I gcead duit — ach sin mar atá—"

"Mura ndúnfaidh tú do chlab bainfidh mé bascadh as caol do láimhe arís," arsa an Fear Dofheicthe. "Ba mhaith liom mo mharana a dhéanamh."

Chonacthas dhá léas solais bhuí trí na crainn ansin, agus b'iúd sa chlapsholas túr cearnógach séipéil. "Coinneoidh mé mo lámh ar do ghualainn," arsa an Glór, "agus sinn ag dul tríd an sráidbhaile. Siúil leat caoldíreach tríd gan aon pheidhcíocht uait. Is measaide duit é mura ndéanfaidh."

"Tá a fhios agam é sin," arsa Mr Mac Amhra agus lig sé osna chléibh as, "Tá a fhios agam é sin go léir."

Shiúil an dealbh aimléiseach faoin hata síoda seanchaite suas sráid an tsráidbhaile bhig agus a ualach leis agus d'imigh sé as radharc sa doircheacht taobh thall de shoilse na bhfuinneog.

CAIBIDIL XIV
I bPORT OIRISE

Ar a deich a chlog maidin lá arna mháireach bhí Mr Mac Amhra, neamhbhearrtha, brocach, a éadaí smálta, ina shuí, na leabhair in aice leis, agus a lámha go doimhin ina phócaí, cuma thnáite, neirbhíseach agus éagompordach air agus é ag plucadh a leicne anois is arís, ar an mbinse lasmuigh de thábhairne beag ar imeall Phort Oirise. Bhí na leabhair lena ais, ach ba shreangán a bhí á gcoinneáil le chéile anois. Fágadh an beartán sa choill ghiúise taobh thall de Dhoire Driseáin, de réir athrú phleananna an Fhir Dhofheicthe. Bhí Mr Mac Amhra ina shuí ar an mbinse, agus cé nár thóg éinne aon cheann dó, bhí sé trína chéile go mór. Chuireadh sé a lámha ar a phócaí difriúla anois agus arís agus é ag útamáil go neirbhíseach.

Tar éis dó um uair an chloig a chaitheamh ina shuí ann, áfach, tháinig mairnéalach aosta, a raibh nuachtán aige, amach as an tábhairne agus shuigh sé in aice leis. "Lá bog," arsa an mairnéalach.

Thug Mr Mac Amhra sracfhéachaint air agus cuma sceimhlithe air. "An-bhog," ar seisean.

"Cad eile a mbeifí ag súil leis an tráth seo bliana?" arsa an mairnéalach.

"Go deimhin," arsa Mr Mac Amhra.

Tharraing an mairnéalach bior fiacla amach agus bhí sé gafa lena fhiacla a réiteach ar feadh roinnt nóiméad. Mar sin féin, bhí deis aige deilbh dheannachúil Mhr Mhic Amhra a scrúdú, mar aon leis na leabhair a bhí lena ais. Agus é ag druidim le Mr Mac Amhra chuala sé torann mar a bheadh boinn airgid á ligean isteach i bpóca. B'ionadh leis an chodarsnacht idir an chuma a bhí ar Mhr Mac Amhra agus comhartha sin an rachmais. Ansin, thosnaigh sé ag machnamh athuair ar ábhar a ghabh a shamhlaíocht go daingean.

"Leabhair?" ar seisean go hobann, agus é ag caitheamh an bheara fiacla uaidh go callánach.

Baineadh geit as Mr Mac Amhra agus d'fhéach sé orthu. "Ó, sea," ar seisean. "Is leabhair iad."

"Bíonn rudaí iontacha i leabhair," arsa an mairnéalach.

"Géillim duit," arsa Mr Mac Amhra.

"Agus rudaí iontacha nach bhfuil i leabhair," arsa an mairnéalach.

"Is fíor dhuit," arsa Mr Mac Amhra. D'fhéach sé ar a chéile comhrá, agus ansin thug sé sracfhéachaint uime.

"Bíonn rudaí iontacha i nuachtáin, cuir i gcás," arsa an mairnéalach.

"Bíonn."

"Sa nuachtán *seo*," arsa an mairnéalach.

"Á!" arsa Mr Mac Amhra.

"Tá scéal ann," arsa an mairnéalach agus é ag féachaint go diongbháilte ar Mhr Mac Amhra, "tá scéal ann faoi fhear nach féidir a fheiscint, cuir i gcás."

Chuir Mr Mac Amhra strainc air féin agus thochas sé a leiceann agus d'airigh sé a chluas ar lasadh. "Cad eile a chumfaidh siad?" ar seisean de ghlór lag. "An Ostair nó Meiriceá?"

"Ceachtar acu," arsa an mairnéalach. "*Anseo.*"

"A Thiarcais!" arsa Mr Mac Amhra de gheit.

"Nuair a deirim *anseo*," arsa an mairnéalach, "Ní san áit seo go díreach atá i gceist áfach, ach sna bólaí seo," rud a chuir Mr Mac Amhra ar a shuaimhneas.

"Fear nach féidir a fheiscint!" arsa Mr Mac Amhra. "Agus cad a bhí ar siúl aige-sean?"

"Gach aon saghas ruda," arsa an mairnéalach agus é ag stánadh ar Mhac Amhra, agus ansin d'ardaigh sé a ghlór agus ar seisean, "gach — diabhal — ruda."

"Níor léigh mé nuachtáin le ceithre lá anuas," arsa Mac Amhra.

"I mBaile Ipa a thosnaigh sé amach," arsa an mairnéalach.

"Ambaist!" arsa Mr Mac Amhra.

"Ansin a thosnaigh sé amach. Agus ní fheadair éinne cad as a dtáinig sé i ndáiríre. Éist leis seo: 'Scéal aduain ó Bhaile Ipa.' Agus luaitear sa nuachtán go bhfuil an fhianaise an-dearfa — an-dearfa ar fad."

"Obh, obh!" arsa Mr Mac Amhra.

"Ach scéal éachtach é, dar ndóigh. Fear eaglasta agus lia-chleachtóir iad na finnéithe — chonaic siad é, ambaiste — nó ní fhaca is cosúil. Bhí sé ag cur faoi, a luaitear, sa Chóiste agus Capaill, agus is cosúil nárbh eol d'éinne an mí-ádh a bhí air, a luaitear, níorbh eol dóibh a chás, nó gur tharla liútar éatar sa tábhairne, a luaitear, stróiceadh de a raibh de bhindealáin ar a chloigeann. Tugadh faoi deara ansin nárbh fhéidir a chloigeann a fheiscint. Rinneadh iarrachtaí breith air láithreach, ach chaith sé de a chuid éadaí, a luaitear, agus d'éalaigh sé leis, ach sular éalaigh bhí achrann mór ann, agus ghortaigh sé go dona, a luaitear, an constábla tréitheach cumasach seo againne, Mr J. A. Mac Seafair. Go leor fíricí, éh? Ainmneacha agus uile."

"A Thiarcais!" arsa Mr Mac Amhra agus é ag féachaint uime go neirbhíseach, é ag iarraidh a raibh d'airgead ina phóca a chomhaireamh gan féachaint air, agus rith smaoineamh úr neamhghnách leis. "Nach aisteach an scéal é."

"Nach ea! Neamhghnách, a déarfainnse. Níor chuala mé trácht ar Fhear Dofheicthe riamh, ambaist, ach cloistear trácht ar go leor nithe neamhghácha ar na saolta seo — go—"

"Arbh in uile a rinne sé?" arsa Mr Mac Amhra, agus é ag iarraidh a ligean air go raibh sé ar a shuaimhneas.

"Nár leor é?" arsa an mairnéalach.

"An ndeachaigh sé ar ais ann ar aon seans?" arsa Mac Amhra. "D'éalaigh sé leis agus b'in sin, éh?"

"B'in sin," arsa an mairnéalach. "Ambaist! — nach leor é?"

"Ró-leor," arsa Mac Amhra.

"Déarfainn gur leor é," arsa an mairnéalach. "Déarfainn gur leor é."

"Ní raibh aon chairde aige — an luann sé an raibh aon chairde aige, an luann?" a d'fhiafraigh Mr Mac Amhra de.

"Nach leor duit duine amháin dá leithéid?" arsa an mairnéalach. "Ní raibh, buíochas do Dhia, mar a déarfadh an fear, ní raibh."

Sméid sé a cheann go mall. "Cuireann sé isteach orm i gceart a shamhlú go mbeadh an fear sin ag rith ar fud na tíre!" I láthair na huaire, tá sé ar a theitheadh, agus de réir fianaise áirithe thug sé an bóthar go Port Oirise air féin. Féach anois go bhfuilimid ina cheartlár! Ná bac le do chuid iontaisí Mheiriceá, an uair seo. Samhlaigh na rudaí a d'fhéadfadh sé a dhéanamh! Conas a bheadh agat, dá mbeadh braon sa bhreis faoin bhfiacail aige, agus go dtabharfadh sé fút? Abair gur mhian leis gadaíocht a dhéanamh — cé a chuirfeadh stop leis? Is féidir leis foghail a dhéanamh, is féidir leis gadaíocht a dhéanamh, d'fhéadfadh sé siúl trí scuaine póilíní chomh furasta céanna agus a d'éalódh mise nó tusa ó dhuine dall! Ní b'fhurasta! Óir bíonn éisteacht ghéar ag na daill, a deirtear liom. Agus dá gcuirfeadh sé dúil sa deoch—"

"Tá buntáiste ollmhór aige, go cinnte," arsa Mr Mac Amhra. "Agus — is amhlaidh..."

"Is fíor dhuit," arsa an mairnéalach. "Tá go deimhin."

Ar feadh an ama sin go léir, bhí Mr Mac Amhra ag faire uime go géar, a chluasa ar bior go gcloisfeadh sé rian cos, go dtabharfadh sé gluaiseachtaí dobhraite faoi deara. Bhí an chuma ar an scéal go raibh rún daingean aige. Rinne sé casacht laistiar dá láimh.

D'fhéach sé uime arís, d'éist sé, chrom sé i dtreo an mhairnéalaigh, agus d'ísligh sé a ghlór. "De dhéanta na fírinne —

Tá a fhios agamsa — rud nó dhó faoin bhFear Dofheicthe seo. Tá foinsí príobháideacha agam."

"Ó!" arsa an mairnéalach agus é ag cur spéise ann. *Tusa*?"

"Sea" arsa Mr Mac Amhra. "Mise."

"Ambaist!" arsa an mairnéalach. "Mura miste leat mé a fhiafraí—"

"Beidh ionadh ort," arsa Mr Mac Amhra laistiar dá láimh. "Scéal éachtach."

"Go deimhin!" arsa an mairnéalach.

"Is amhlaidh," arsa Mr Mac Amhra go díocasach de ghlór rúnda. Tháinig athrú mór gnúise air go hobann. "Abh!" ar seisean. D'éirigh sé in airde sa chathaoir. Bhí an chuma ar a aghaidh go raibh sé i bpian. "Bhabh!" ar seisean.

"Cad tá ort?" arsa an mairnéalach, agus imní air faoi.

"Tinneas fiacaile," arsa Mr Mac Amhra, agus chuir sé a lámh lena chluais. Rug sé ar a chuid leabhar. "Ní mór dom a bheith ag imeacht liom," ar seisean. Shleamhnaigh sé leis fan bhínse óna chéile comhrá. "Ach bhí tú ar tí scéala a insint dom faoin bhFear Dofheicthe seo!" arsa an mairnéalach go hagóideach. Ba chosúil gur labhair Mr Mac Amhra leis féin. "Bréaga," arsa an Glór. "Bréaga atá ann," arsa Mac Amhra.

"Ach tá sé sa nuachtán," arsa an mairnéalach.

"Bréaga mar sin féin," arsa Mac Amhra. "Tá aithne agam ar an bhfear a chum na bréaga. Níl Fear Dofheicthe ann beag ná mór — Dar fia."

"Ach cad faoin nuachtán seo? An amhlaidh a deir tú—?"

"Oiread agus focal," arsa Mac Amhra, go diongbháilte.

Stán an mairnéalach air, agus an nuachtán ina láimh aige. Thiontaigh Mr Mac Amhra de gheit. "Fóill ort," arsa an mairnéalach, agus é ag éirí ina sheasamh agus ag labhairt go mall, "An amhlaidh a deir tú— ?"

"Sea," arsa Mr Mac Amhra.

"Cén fáth ar lig tú dom a insint duit faoin ndiabhal stuif seo, mar sin? Cén gnó a bhí agat a ligean d'fhear amadán a dhéanamh de féin mar sin? Éh?"

Phluc Mr Mac Amhra a leicne. Bhí aghaidh an mhairnéalaigh an-dearg go deo; d'fháisc sé a lámha ina chéile. "Bhí mé ag caint liom le deich nóiméad anuas," ar seisean, "agus ní raibh sé de bhéasa agatsa, a cheailis chéasta, a roicneacháin rógánta—"

"Ná bí ag caitheamh do chuid focla móra liomsa," arsa Mr Mac Amhra.

"Focla móra! Múinfidh mé—"

"Teann anall," arsa Glór, agus tiontaíodh Mr Mac Amhra de gheit agus thosnaigh sé ag máirseáil leis ar bhealach amscaí ríogach. "B'fhearr dhuit a bheith ag imeacht leat," arsa an mairnéalach. "Cé atá ag imeacht?" arsa Mac Amhra. Bhí sé ag cúlú go fiar agus iompar aisteach mear faoi agus é ag freangadh go fíochmhar chun tosaigh anois is arís. Tar éis tamaill siúil ar an mbóthar dó, thosnaigh sé ag caint, ag cáineadh agus ag cailicéireacht go doiléir faoina fhiacla.

"An leibide bocht!" arsa an mairnéalach, a chosa scartha aige, a dhá láimh ar a mhaotháin aige agus é ag faire ar an ndealbh ag imeacht i gcéin. "Taispeánfaidh mé duitse é, a liúdramáin — ag cur dallamullóg ormsa! Tá sé anseo — sa nuachtán!"

Thug Mr Mac Amhra freagra doiléir air agus é ag cúlú leis, ach folaíodh lastall de chor sa bhóthar é; d'fhan an mairnéalach ina sheasamh go maorga gan chorraí i lár an bhóthair, nó gur thug cairt an bhúistéara air seasamh siar. Thiontaigh sé i dtreo Phort Oirise ansin. "Lán de neacha neamhghnácha," ar seisean go ciúin leis féin. "An giodal a bhaint asam — sin a bhí ar bun aige — Tá sé sa nuachtán!"

Bhí sé ar tí rud éigin neamhghnách eile a chlos, rud a tharla sách gar dó. Is é a bhí ann, dornán airgid ag taisteal leis gan iompróir dá laghad aige ar feadh an bhalla ag coirnéal Lána Mhíchíl Naofa. Chonaic comh-mhairnéalach an feic iontach sin ar maidin. Thug sé sciobadh ar an airgead láithreach agus leagadh i mullach a chinn é, agus nuair a d'éirigh sé ar a chosa arís bhí féileacán an airgid imithe gan tásc gan tuairisc. Bhí fonn ar an mairnéalach sochar an amhrais a thabhairt do dhuine ar bith, a dúirt sé, ach bhí an scéal sin beagán ró-aibhéalach. Ina dhiaidh sin, áfach, thosnaigh sé ag déanamh a mharana.

Bhí scéal an airgid a bhí ag eitilt fíor. Agus ar feadh na comharsanachta sin, fiú amháin ó Chomhlacht iomráiteach Baincéireachta London agus Tuaithe, ó scipéid siopaí agus tábhairní — doirse ar oscailt an lá grianmhar samhraidh sin — bhí airgead ag dul ar iarraidh go ciúin agus go calaoiseach an lá sin ina dhornáin agus ina stacaí, ag foluain leis ar feadh ballaí agus áiteanna scáthacha, agus é ag seachaint súile daoine go gasta.

Agus cé nár lean ná nár rianaigh éinne é, ba é póca an fhir chorraithe faoin hata síoda seanchaite, a bhí ina shuí lasmuigh den tábhairne beag ar imeall Phort Oirise, a cheann scríbe i gcónaí.

Bhí sé deich lá ina dhiaidh sin — nuair ba sheanscéal é scéal na Copóige — a chuir an mairnéalach na fíricí sin le chéile agus a thosnaigh sé ag tuiscint a chóngaraí a bhí sé i ndáiríre don Fhear Dofheicthe iontach.

CAIBIDIL XV

AN FEAR A BHÍ AG RITH

Um thráthnóna, bhí an Dr Ceimp ina shuí ina sheomra staidéir sa teach samhraidh ar an gcnoc os cionn na Copóige. Seomrín beag sócúil a bhí ann, a raibh trí fhuinneog ann — ó thuaidh, siar, agus ó dheas — mar aon le leabhragáin a bhí lán de leabhair agus d'fhoilseacháin eolaíochta, agus bord leathan scríbhneoireachta, agus, faoin bhfuinneog ó thuaidh, micreascóp, deimheas gloine, mionfhearais, ábhar saothraithe, agus buidéil imoibreán ar fud an bhaill. Bhí lampa gréine an Dr Ceimp ar lasadh, in ainneoin go raibh an spéir fós ar lasadh le solas luí na gréine, agus bhí na dallóga ar oscailt in airde ós rud é nach raibh aon bhaol ann go bhfeicfeadh lucht gliúcaíochta lasmuigh iad. Clifeartach óg ba ea an Dr Ceimp, a raibh gruaig bhán agus croiméal a bhí beagnach bán aige, agus bhí súil aige go mbronnfaí cuallacht an Chumainn Ríoga air de bhun an tsaothair a bhí ar siúl aige óir bhí ardmheas aige ar an saothar sin.

Bhain sé a shúil dá shaothar agus chonaic sé léas gréine ag scalladh ar mhullach an chnoic a bhí in aice a chnoic féin. Shuigh sé ansin, a pheann ina bhéal aige, ar feadh nóiméid agus é ag baint taitneamh súl as an dath ómra a bhí le feiscint os cionn an mhullaigh, agus ansin tarraingíodh a aird ar fhíor bheag de dhuine, chomh dubh le pic, agus é ag rith thar mhullach an chnoic ina threo. Giortachán a bhí ann, agus bhí hata ard ar a cheann, agus bhí sé ag rith chomh tapaidh sin go raibh an chuma ar a chosa go raibh siad ag glioscarnach.

"Bobarún eile," arsa an Dr Ceimp. "Dála an amadáin sin a bhuail isteach ionam de ruathar ar maidin agus 'Fear Feicthe chugainn, a dhuine uasail!' á rá aige. Ní fheadar cad a bhuaileann daoine. Ba dhóigh le duine gur ag maireachtaint sa tríú haois déag atáimid."

D'éirigh sé ina sheasamh, chuaigh sé anonn chuig an bhfuinneog, agus stán sé ar an leitir sa bhreacsholas, agus ar an ndeilbhín a bhí ag teacht anuas ann de ruathar. "Tá fuadar nach bhfeadar faoi," arsa an Dr Ceimp, "ach n'fheadar an bhfuil mórán dul chun cinn á dhéanamh aige. Dá mbeadh pócaí lán luaidhe aige, ní bheadh sé ní ba spadánta.

"Rith leat, a dhuine," arsa an Dr Ceimp.

Faoi cheann nóiméid bhí an fear reatha follaithe laistiar den teach ab airde de na tithe samhraidh a tógadh in airde ón gCopóg. Bhí sé le feiscint arís ar feadh nóiméid, agus arís, agus arís eile, trí huaire idir na trí theach scoite dá éis sin agus ansin d'fholaigh an tsraith tithe é.

"Leibidí!" arsa an Dr Ceimp agus é ag tiontú ar a shála agus ag siúl ar ais chuig an mbord scríbhneoireachta.

Ach maidir leis na daoine sin a raibh radharc ní ba ghaire dó acu ar an dteifeach, agus a d'airigh an scaoll cloíte ar a éadan allais, toisc iadsan a bheith ar an mbóthar oscailte chomh maith, níor mhar a chéile a mbreithiúnas-na agus fuath an dochtúra. Agus an fear ag rith leis, bhí sé ag clingireacht mar a bheadh sparán lán a chroithfí anonn is anall. Níor fhéach sé ar dheis ná ar chlé, ach stán a shúile leata díreach roimhe chuig an áit a rabhthas ag lasadh na lampaí, agus a raibh na sluaite ar an tsráid. D'oscail sé a bhéal díchumtha, agus bhí cúr lonrach ar a bheola, agus bhí a anáil le clos go ciachánach agus go callánach. Gach duine a ndeachaigh sé tharstu, stad siad agus thosnaigh siad ag stánadh suas an bóthar agus síos arís agus ag ceistiú a chéile toisc míshuaimhneas a bheith orthu faoi chúis a reatha.

Ansin láithreach, i bhfad in airde ar an gcnoc, lig madra a bhí ar an mbóthar glam as agus rith sé isteach faoi gheata, agus fad a bhí siad ag tuairimíocht, chuaigh — séideán—"pead, pead, pead" — mar a bheadh saothar anála, tharstu.

Bhí daoine ag scréachaíl. Phreab daoine den chosán. Tháinig sé anuas an cnoc ina thonnta. Bhí siad ag screadach ar an tsráid sula raibh Mac Amhra leathshlí ann. Bhí siad ag teitheadh isteach i dtithe agus ag plabadh doirse laistiar díobh, leis an scéala. Chuala sé é agus thug sé ruathar deiridh dóchasach. Chuaigh an scaoll thar bráid, chuaigh sé chun tosaigh air, agus níorbh fhada go raibh an baile gafa aige.

"Tá an Fear Dofheicthe chugainn! An Fear Dofheicthe!"

CAIBIDIL XVI
'NA CRUICÉADÓIRÍ CROÍÚLA'

Tá an tábhairne 'Na Cruicéadóirí Croíúla' suite díreach ag bun an chnoic, mar a dtosaíonn na traimlínte. Leag fear an bheáir a ghéaga dearga feolmhara ar an gcuntar agus labhair sé faoi chapaill le tiománaí mílítheach caib, fad a bhí fear féasóige duibhe ag alpadh brioscaí agus cáise, ag ól Burton, agus ag labhairt Meiriceáinise le póilín nach raibh ar dualgas.

"Cad chuige an liúireach!" arsa an tiománaí mílítheach caib, ar ábhar eile, agus é ag iarraidh radharc a fháil suas an cnoc os cionn na dallóige salaí buí a bhí ar crochadh ar fhuinneog íseal an tábhairne. Rith duine éigin amach. "Tine, b'fhéidir," arsa fear an bheáir.

Chualathas coiscéimeanna chucu, iad ag rith go tromchosach, osclaíodh an doras de phlab, agus thug Mac Amhra, a bhí ag gol agus trína chéile, a hata ar iarraidh, muineál a chóta stróicthe, thug sé ruathar isteach agus rinne sé iarracht an doras a dhúnadh. Bhí stiall á choinneáil ar leath-oscailt.

"Chugainn é!" ar seisean de bhéic, a ghlór ar creathadh le sceimhle. "Chugainn é! An Fear Dofheicthe! Ar mo thóir! In ainm Dé! Cúnamh! Cúnamh! Cúnamh!"

"Dún na doirse," arsa an póilín. "Cé atá chugainn? Cad chuige an clampar?" Chuaigh sé anonn chuig an doras, scaoil sé leis an stiall, agus dhún sé de phlab é. Dhún an Meiriceánach an doras eile.

"Lig isteach mé," arsa Mac Amhra, dhá thaobh na sráide aige agus é ag gol, ach na leabhair ina ghlaic aige fós. "Lig isteach mé. Cuir faoi ghlas laistigh mé — áit éigin. Tá sé ar mo thóir, a deirim. D'éalaigh mé uaidh. Dúirt sé go maródh sé mé agus maróidh."

"Tá tusa sábháilte," arsa fear na féasóige duibhe. "Tá an doras dúnta. Cad atá ar siúl?"

"Lig isteach mé," arsa Mac Amhra, agus lig sé uaill ghéar as agus buille obann ag baint creatha as an ndoras agus ansin chualathas cnagadh deifreach agus liúireach lasmuigh. "Heileo," arsa an póilín, "cé atá ann?" Thosnaigh Mr Mac Amhra ag déanamh ruathair faoi phainéil a raibh cuma dorais orthu. "Maróidh sé mé — tá scian nó rud éigin aige. In ainm Dé — !"

"Seo leat," arsa fear an bheáir. "Gabh isteach anseo." D'ardaigh sé comhla an bheáir.

Rith Mr Mac Amhra laistiar den bheár agus an t-ordú á thabhairt lasmuigh arís. "Ná hoscail an doras," ar seisean de bhéic. "*Le do thoil,* ná hoscail an doras. Cá háit a rachaigh mé i bhfolach?"

"An, an Fear Dofheicthe seo, mar sin?" arsa fear na féasóige duibhe, agus a leathlámh laistiar de. "Tá sé thar am againn a fheiscint is dócha."

Rinneadh smidiríní d'fhuinneog an tábhairne go hobann, agus chualathas scréachaíl agus réabadh ar an tsráid lasmuigh. Bhí an póilín ina sheasamh ar an dtolg agus é ar a bharraicíní ag iarraidh an duine a bhí lasmuigh den doras a fheiscint. Tháinig sé anuas agus a mhalaí ardaithe aige. "Sin mar atá," ar seisean. Sheas fear an bheáir os comhair dhoras pharlús an bheáir a bhí faoi ghlas anois agus Mr Mac Amhra istigh ann, stán sé ar smidiríní na fuinneoige agus tháinig sé timpeall chuig an mbeirt fhear eile.

Thit gach rud dá dtost. "Is trua nach bhfuil mo chrann bagair agam," arsa an póilín, agus é ag dul anonn go diongbháilte chuig an doras. "Má osclaítear é, tiocfaidh sé isteach. Níorbh fhéidir stop a chur leis."

"Ná bíodh fonn ró-mhór ort an doras sin a oscailt," arsa an tiománaí mílítheach caib go himníoch.

"Tarraing siar na boltaí," arsa fear na féasóige duibhe, "agus má thagann sé isteach—" Thaispeáin sé gunnán ina lámh.

"Leag uait é," arsa an póilín, "sin dúnmharú."

"Tá a fhios agam cén tír ina bhfuilim," arsa fear na féasóige duibhe. "Scaoilfidh mé urchar lena chosa. Tarraing siar na boltaí."

"Ní scaoilfidh agus é sin á scaoileadh laistiar díom," arsa fear an bheáir, agus é ag faire amach os cionn na dallóige.

"Maith go leor," arsa fear na féasóige duibhe, agus chrom sé síos, a ghunnán réidh aige, agus tharraing sé féin siar na boltaí. Thiontaigh fear an bheáir, an tiománaí caib agus an póilín.

"Bí istigh," arsa fear na féasóige os íseal, é ag seasamh siar agus aghaidh aige leis an ndoras díghlasáilte agus a ghunnán laistiar de. Níor tháinig éinne isteach ná níor osclaíodh an doras. Cúig nóiméad dá éis sin nuair a sháigh an dara tiománaí caib a chloigeann isteach go faiteach, bhí siad fós ag feitheamh, agus d'fhéach aghaidh imníoch amach as parlús an bheáir agus thug sé eolas dóibh. "An bhfuil doirse uile an tí dúnta?" arsa Mac Amhra.

"Tá sé ag dul timpeall — ag smúrthacht timpeall. Is cliste an diabhal é."

"A Thiarcais!" arsa burlamán an bheáir. "Cúl an tí! Coinnígí súil ar na doirse sin! A deirim—!" D'fhéach sé uime go héagumasach. Plabadh doras pharlús an bheáir agus chuala siad eochair á casadh. "Doras an chlóis agus an doras príobháideach. Doras an chlóis—"

Bhrostaigh sé amach as an mbeár. Bhí sé ar ais faoi cheann nóiméid agus scian spólta ina láimh aige. "Bhí doras an chlóis ar oscailt!" ar seisean, agus thit bruas íochtar a bheola. "Seans go bhfuil sé sa teach anois!" arsa an chéad tiománaí caib.

"Níl sé sa chistin," arsa fear an bheáir. "Tá beirt bhan ann, agus sháigh mé an slisneoir mairteola seo ar fud an bhaill istigh ann. Agus ní dóigh leo-san gur tháinig sé isteach. Níor airigh siad é—"

"Ar chuir tú an glas air?" arsa an chéad tiománaí caib.

Chuir fear na féasóige a ghunnán ar ais. Agus é á dhéanamh sin dúnadh comhla an bheáir de phlab agus rinne an bolta clingireacht, agus ansin le plab callánach briseadh laiste an dorais agus briseadh doras an pharlúis ar oscailt. Chuala siad Mac Amhra ag sceamhaíl mar a bheadh glasmhíol i ngaiste, agus léim siad thar an mbeár láithreach chun a tharrthála. Chualathas 'beaing' ó ghunnán fhear na féasóige agus scoilteadh an scáthán a bhí ar chúl an pharlúis agus thit sé ina smidiríní.

Agus fear an bheáir ag dul isteach sa seomra chonaic sé Mac Amhra, é ina chnapán agus ag streachailt i gcoinne an dorais amach sa chlós agus sa chistin. Osclaíodh an doras de phlab agus fear an bheáir idir dhá chomhairle faoi dhul isteach sa seomra, agus tarraingíodh Mac Amhra isteach sa chistin. Chualathas scread agus gliogram potaí. Bhí a chloigeann cromtha síos ag Mac Amhra, bhí sé ag brú i leith a chúil, ach brúdh chuig doras na cistine é agus tarraingíodh na boltaí.

Tháinig an póilín, a bhí ag iarraidh dul seachad ar fhear an bheáir, isteach de ruathar, duine de na tiománaithe caib sna sála air, rug sé ar chaol na láimhe dofheicthe a raibh greim aici ar Mhac Amhra, buaileadh san aghaidh é agus leagadh ar fhleasc a dhroma é. Osclaíodh an doras, agus rinne Mac Amhra a sheacht ndícheall dul i bhfostú laistiar de. Ansin rug an tiománaí caib ar rud éigin. "Tá sé agam," arsa an tiománaí caib. Rinne lámha dearga fhear an bheáir iarracht an ní dofheicthe sin a ghabháil. "Tá sé anseo," arsa fear an bheáir.

Thit Mr Mac Amhra, ach ar scaoileadh leis go hobann, chun na talún agus rinne sé iarracht lámhacán laistiar de chosa na bhfear troda. Lean an iomrascáil ar aghaidh ar thairseach an dorais. Chualathas glór an Fhir Dhofheicthe den chéad uair agus é ag béicíl amach os ard, nuair a shatail an póilín ar a chos. Lig sé uaill as agus bhí a dhoirne á luascadh aige. Lig an tiománaí caib liú as agus lúb sé, ach a bhfuair sé cic faoin ndiafram. Plabadh an doras isteach i bparlús an bheáir ón gcistin agus ceileadh cúlú Mhr. Mhic Amhra. Bhí na fir sa chistin ag glámaireacht agus ag breith ar aer folamh.

"Cá ndeachaigh sé?" arsa fear na féasóige. "Amach!"

"An treo seo," arsa an póilín, agus é ag seasamh amach sa chlós agus ag stad.

D'eitil blogha de thíle thar a cheann agus rinneadh smidiríní de i measc na ngréithre ar bhord na cistine.

"Tabharfaidh mise le fios dó," arsa fear na féasóige duibhe de bhéic agus chonacthas bairille cruach ag lonradh os cionn ghualainn an phóilín, agus lean cúig urchar a chéile isteach sa chlapsholas as ar tháinig an teilgeán. Agus é á scaoileadh, bhog fear na féasóige a lámh i gcuar cothrománach, agus radadh na hurchair amach sa chlós cúng mar a bheadh spócaí rotha.

Bhí tost ann. "Cúig chartús," arsa fear na féasóige duibhe. "Sin é is fearr amuigh. Ceithre aon agus fear na gcrúb. Aimsigh duine agaibh lóchrann agus gabhaigí i leith agus bígí ag méirínteacht dá cholainn."

CAIBIDIL XVII
CUAIRTEOIR AN DRA CHEIMP

Bhí an Dr Ceimp ag scríobh leis ina sheomra staidéir nó gur chuala sé na hurchair. "Cnag, cnag, cnag," ceann i ndiaidh a chéile.

"Heileo!" arsa an Dr Ceimp agus a pheann á chur ina bhéal aige agus bior á chur ar a chluasa aige. "Cé atá ag scaoileadh gunnáin sa Chopóg? Cad atá ar siúl ag na leibidí anois?"

Chuaigh sé anonn chuig an bhfuinneog ó dheas, d'oscail sé in airde í agus shín sé a chloigeann amach agus stán sé síos ar ghréasán na bhfuinneog, na ngáslampaí ribíneacha agus na siopaí agus ar bhearnaí dubha na ndíonta agus na gclós idir eatarthu. "Is cosúil go bhfuil slua thíos faoin gcnoc," ar seisean, "in aice leis 'Na Cruicéadóirí,'" agus d'fhan sé ann ag stánadh orthu. Ansin chuaigh a shúile ar fán thar an mbaile i bhfad i gcéin mar a raibh soilse na long ag scalladh agus an ché ag lonradh — pailliún beag lasta mar a bheadh seoid bhuísholais. Bhí an ghealach, i mbéal ceathrún, ar crochadh os cionn an chnoic thiar, agus bhí na réaltaí glé agus geal.

Tar éis cúig nóiméad, agus é ag machnamh ar dhálaí sóisialta an ama a bhí roimhe amach, nó go ndeachaigh a mheabhair ar strae, lig an Dr Ceimp osna chléibh as, tharraing sé anuas an fhuinneog arís, agus d'fhill sé ar a bhord scríbhneoireachta.

Uair an chloig dá éis sin, ar a laghad, buaileadh cloigín an dorais tosaigh. Bhí sé ag scríobh go faillíoch, a intinn ag imeacht ar fán anois is arís, ó chuala sé na hurchair. Shuigh sé ann agus cluas le héisteacht air. Chuala sé an cailín aimsire ag freagairt an dorais, agus d'fhan sé go gcloise sé a coiscéimeanna ar an staighre, ach níor tháinig sí. "N'fheadar cé a bhí ann," arsa an Dr Ceimp.

Rinne sé iarracht leanúint ar aghaidh lena chuid oibre, theip air, d'éirigh sé, chuaigh sé síos staighre ón seomra staidéir chuig an léibheann, bhuail sé an cloigín agus ghlaoigh sé amach thar an mbalastráid ach ní raibh aon radharc ar an gcailín aimsire sa halla thíos. "An litir a bhí ann?" ar seisean.

"Buaileadh agus teitheadh a bhí ann, a dhuine uasail," ar seisean.

"Táim corrthónach anocht," ar seisean leis féin. Chuaigh sé ar ais chuig an seomra staidéir, agus an uair seo thug sé faoin obair go díocasach. Faoi cheann tamaillín bhí sé ag obair ar a dhícheall arís, agus ní raibh le clos sa seomra ach ticeáil an chloig agus maolscríobadh a phinn chleite i gceartlár an fháinne solais a rinne scáthlán an lampa ar an mbord.

Bhí sé a dó a chlog sular chuir an Dr Ceimp críoch lena chuid oibre don oíche. D'éirigh sé, rinne sé méanfach, agus chuaigh sé síos staighre chuig an leaba. Bhí a chóta agus a veist bainte de aige cheana féin, nuair a d'airigh sé go raibh tart air. Thóg sé coinneal agus chuaigh sé síos staighre chuig an seomra bia ar thóir siofóin agus uisce beatha.

De bhun a shaothair eolaíochta b'fhear é an Dr Ceimp a raibh súil ghrinn aige, agus le linn dó a bheith ag atrasnú an halla, thug sé ball dubh faoi deara ar an líonóil gar don mhata ag bun an staighre. Chuaigh sé in airde staighre, agus rith sé leis ansin an chúis a d'fhéadfadh a bheith leis an mball sin ar an líonóil. Bhí rud éigin i gcúl a chinn á phriocadh, ní foláir. Pé scéal é, thiontaigh sé agus chuaigh sé ar ais isteach sa halla, leag sé uaidh an siofón agus an t-uisce beatha agus chrom sé síos lena láimh a leagan ar an mball dubh. Níorbh aon ionadh dó a fháil amach gur fhuil thriomaithe a bhí ann de réir a ghreamaitheachta agus a dhatha.

Rug sé ar na hearraí arís, agus chuaigh sé ar ais in airde staighre, é ag féachaint uime agus ag iarraidh údar na fola a shamhlú. Chonaic sé rud éigin ar an léibheann agus stad sé agus ionadh air. Bhí smál fola ar lámh dhoras a sheomra féin.

D'fhéach sé ar a láimh féin. Bhí sí glan, agus ansin chuimhnigh sé go raibh doras a sheomra féin ar oscailt nuair a tháinig sé anuas an staighre, agus nár leag sé lámh ar láimh an dorais ina dhiaidh sin. Chuaigh sé caoldíreach chun a sheomra, a aghaidh sách calm — beagán ní ba dhiongbháilte ná mar a bhíodh de ghnáth, b'fhéidir. Chaith sé súil, go fiosrach, ar an leaba. Bhí smál mór fola ar an gcuilt, agus bhí an braillín stróicthe. Níor thug sé é sin faoi deara roimhe sin óir shiúil sé díreach anonn chuig an drisiúr. Ar an dtaobh eile den leaba, bhí log sna héadaí leapa amhail is go raibh duine ina shuí ann le déanaí.

Ansin mheas sé gur chuala sé glór íseal ag rá, "A Thiarcais! — Cheimp!" Ach níor ghéill an Dr Ceimp do ghlórtha.

Sheas sé ann ag stánadh ar na braillíní suaite. Ar ghlór a bhí ann i ndáiríre? D'fhéach sé uime arís, ach ní fhaca sé aon rud eile seachas an leaba — fuilsmálta agus suaite. Ansin chuala sé gluaiseacht ar an dtaobh thall den seomra, gar do sheastán an bháisín níocháin. Bíonn claonadh chun piseog i ngach fear, beag beann ar a chuid oiliúna. Tháinig driuch air. Dhún sé doras an tseomra, chuaigh sé anonn chuig an drisiúr, agus leag sé síos na hearraí a bhí ina láimh aige. Ansin, de gheit, chonaic sé bindealán corntha fuilsmálta línéadaigh ar foluain san aer, idir é féin agus seastán an bháisín níocháin.

Stán sé air agus idir iontas agus alltacht air. Bindealán folamh a bhí ann, bindealán a snaidhmeadh i gceart ach a bhí folamh. Leagadh sé a lámh air ach gur cuireadh bac leis, agus labhair glór ina ghaobhar.

"Cheimp," arsa an Glór.

"Éh?" arsa Ceimp, agus a bhéal ar leathadh.

"Ceap do shuaimhneas," arsa an Glór. "Is fear mé nach féidir a fheiscint; Fear Dofheicthe."

Níor thug Ceimp freagra dá laghad air go ceann tamaill, ach stán sé ar an mbindealán. "Fear Dofheicthe," ar seisean.

"Is Fear Dofheicthe mé," arsa an Glór arís.

Chuimhnigh sé ar an scéal a raibh sé ag déanamh beag is fiú de ar maidin. Bhí an chuma ar an scéal nach raibh eagla ró-mhór ná ionadh ró-mhór air i láthair na huaire. Thuig sé ina dhiaidh sin é.

"Mheas mé gur bhréag a bhí ann," ar seisean. Ní raibh aon ní ar a aire aige ach argóintí athfhillteacha na maidine. "An bhfuil bindealán ort?" ar seisean.

"Tá," arsa an Fear Dofheicthe.

"Ó!" arsa Ceimp, agus chuir sé bíogadh ann féin. "Ambaist!" ar seisean. "Ach seafóid atá ann. Cleas de shaghas éigin atá ann." Ghlac sé céim chun tosaigh go hobann, shín sé a lámh amach i dtreo an bhindealáin agus theagmhaigh sé méaracha dofheicthe.

Tharraing sé siar a lámh agus tháinig athrach datha ar a ghnúis.

"Ceap do shuaimhneas, a Cheimp, in ainm Chroim! Tá cúnamh de dhíth go géar orm. Stad!"

D'fháisc an lámh a ghéag. Bhuail sé í.

"Ceimp," arsa an Glór de bhéic. "Ceimp! Fan socair!" agus maolaíodh an fáisceadh.

Tháinig fonn dochloíte ar Cheimp éalú. Rug an lámh ar a raibh an bindealán ar a ghualainn, baineadh tuisle as go hobann agus caitheadh siar i leith a chúil é agus thit sé ar an leaba. D'oscail sé a bhéal go lige sé scread as, agus sádh coirnéal an bhraillín idir a chuid fiacla. Bhí an Fear Dofheicthe á choinneáil síos, ach bhí a ghéaga saor agus bhuail sé agus chiceáil sé go fíochmhar.

"Bíodh ciall agat!" arsa an Fear Dofheicthe, agus greim aige air go fóill in ainneoin gur tugadh sonc sna heasnacha dó. "Dar fia! cuirfidh tú an gomh orm gan rómhoill!

"Fan socair, a phleota!" arsa an Fear Dofheicthe de bhéic i gcluais Cheimp.

Bhí Ceimp ag streachailt go ceann nóiméid eile agus luigh sé go socair ansin.

"Má scairteann tú, smístfidh mé d'aghaidh," arsa an Fear Dofheicthe agus bhain sé a lámh de bhéal Cheimp.

"Is fear mé nach féidir a fheiscint. Ní pleidhcíocht atá ann ná ní draíodóireacht atá ann. Is Fear Dofheicthe mé i ndáiríre. Agus tá do chúnamh de dhíth orm. Níor mhaith liom do ghortú, ach má leanann tú ort, beidh orm. Nach cuimhin leat mé, a Cheimp? An Grifíneach, ón gColáiste Ollscoile?"

"Lig dom éirí," arsa Ceimp. "Fanfaidh mé mar a bhfuilim. Agus lig dom suí go socair ar feadh nóiméid."

Shuigh sé in airde agus chuimil sé a lámh dá mhuineál.

"Is mise an Grifíneach, ón gColáiste Ollscoile, agus d'éirigh liom mo dhéanamh dofheicthe. Níl ionam ach gnáthfhear — fear a raibh aithne agat air — ach éirithe dofheicthe."

"An Grifíneach?" arsa Ceimp.

"An Grifíneach!" arsa an Glór. Scoláire ní b'óige ná tusa, i mo bhánach nach mór, sé troithe ar airde, téagartha, agus aghaidh bhán agus bhándearg agus súile dearga agam; bhuaigh mé bonn sa cheimic."

"Tá mearbhall orm," arsa Ceimp. "Tá mo mheabhair trína chéile. Cén bhaint atá aige seo leis an nGrifíneach?"

"Is mise an Grifíneach."

Rinne Ceimp a mharana. "Tá sé uafásach," ar seisean. "Ach cén diabhlaíocht a dhéanfadh fear dofheicthe?"

"Ní haon diabhlaíocht é. Próiseas, stuama agus sách intuisceana atá ann—"

"Tá sé uafásach!" ar Ceimp. "Conas sa tsioc—?"

117

"Tá sé sách uafásach. Ach goineadh mé agus táim i bpian agus tnáite ... Go bhfóire Dia orainn. A Cheimp, is fear thú. Tóg go bog é. Tabhair dom roinnt bia agus dí, agus lig dom suí anseo."

Stán Ceimp ar an mbindealán agus é ag gluaiseacht trasna an tseomra, ansin chonaic sé cathaoir shúgáin á tarraingt trasna an urláir agus á leagan in aice na leapa. Rinne sí gíoscán, agus tháinig log ceathrú orlaigh nó mar sin sa suíochán. Chuimil sé a shúile agus a mhuineál athuair. "Is fearr ná púcaí é," ar seisean, agus lig sé gáire amaideach as.

"Is fearr go deimhin. Buíochas do Dhia, tá tú ag dul i gciallmhaireacht!"

"Nó i leibideacht," arsa Ceimp, agus chuimil sé ailt a mhéar dá shúile.

"Tabhair bolgam uisce beatha dom. Táim ar an ndé deiridh."

"Níorbh in a bhraith mé. Cá bhfuil tú? Má éirím an mbuailfear faoina chéile sinn? *Ansin*! Ceart go leor. Uisce beatha? Anseo. Cá dtabharfaidh mé duit é?"

Rinne an chathaoir gíoscán agus mhothaigh Ceimp an ghloine á tarraingt uaidh. Scaoil sé léi, dá ainneoin; ba dhual dó greim a choinneáil uirthi. Stad an ghloine um fhiche orlach os cionn imeall tosaigh na cathaoireach. Stán sé uirthi agus ionadh an domhain air. "Is amhlaidh — ní mór gur — hiopnóiseachas atá ann. Chuir tú i gcéill go bhfuil tú dofheicthe."

"Seafóid," arsa an Glór.

"Níl bun ná barr leis."

"Éist liom."

"Léirigh mé gan dabht gan cheist ar maidin," arsa Ceimp, "go bhfuil an dofheictheacht—"

"Ná bac leis an méid a léirigh tú! — Táim lag leis an ocras," arsa an Glór, "agus braitheann an té nach bhfuil éadaí air an oíche fuar."

"Bia?" arsa Ceimp.

Claonadh an ghloine uisce beatha. "Sea," arsa an Fear Dofheicthe agus é á shlogadh siar. "An bhfuil fallaing sheomra agat?"

Dúirt Ceimp rud éigin faoina fhiacla. Shiúil sé anonn chuig vardrús agus bhain sé róba leamhdhearg amach. "An ndéanfaidh sé cúis?" ar seisean. Baineadh de é. Bhí sí ar foluain san aer ar feadh nóiméid, thosnaigh sí ag gaothraíl, sheas sí in airde agus thosnaigh sí ag dúnadh a cuid cnaipí agus shuigh sí síos sa chathair. "Ba mhór an compord iad fobhríste, stocaí, slipéirí," arsa an Té Neamhfheicthe, go béasach. "Agus bia."

"Rud ar bith. Ach is é seo an rud is aistí a tharla dom riamh!"

Chart sé sna tarraiceáin féachaint an aimseodh sé na héadaí dó, agus ansin chuaigh sé síos an staighre agus thosnaigh sé ag cartadh sa lardrús. Tháinig sé ar ais agus roinnt feola fuaire agus aráin aige, tharraing sé lampa boird anall, agus leag sé os comhair an aoi iad. "Ná bac leis an sceanra," arsa an cuairteoir, agus bhí gearrthóg feola ar foluain san aer, agus chualathas miongaireacht chraosach.

"Dofheicthe!" arsa Ceimp, agus shuigh sé síos ar chathaoir.

"Is breá liom éadaí éigin a chur orm i gcónaí sula mbíonn greim bia agam," arsa an Fear Dofheicthe, a bhéal lán aige agus é ag alpadh leis. "Nóisin!"

"Ní foláir nó go bhfuil caol do láimhe ceart go leor," arsa Ceimp.

"Creid uaim é," arsa an Fear Dofheicthe.

"A leithéid de chás—"

"Go díreach. Ach nach ait gur isteach i do theachsa a tháinig mé, gan choinne, chun bindealán a aimsiú. An chéad sciorta den ádh! Bheartaigh mé go gcodlóinn sa teach seo anocht. Caithfidh tú é sin a cheadú! Is mór an núis é, mo chuid fola a bheith le feisicnt, nach ea? Tá téachtán mór ansin. Éiríonn sí sofheicthe de réir mar a théachtann sí, feicim. Is é an fíochán beo amháin a d'athraigh mé, agus fad atá i mo bheo amháin... Táim sa teach le trí uair an chloig."

"Ach conas a dhéantar é?" arsa Ceimp, de ghlór tnáite. "Damnú air! An gnó ar fad — tá sé míréasúnta ó thús deireadh."

"Sách réasúnta," arsa an Fear Dofheicthe. "Breá réasúnta."

Shín sé a lámh anonn agus rug sé ar bhuidéal an uisce beatha. Stán Ceimp ar an bhfallaing sheomra a bhí ag alpadh léi. Rinne léas solais choinnle a bhí ag scalladh isteach trí phaiste stróicthe ina ghualainn dheis, rinne sé triantán faoina easnacha clé. "Cár scaoileadh na hurchair?" ar seisean. "Conas a cuireadh tús leis an gcaitheamh?"

"Bhí bobarún ann — mar a bheadh comhghleacaí liom — fán fada air! — a rinne iarracht mo chuid airgid a ghoid uaim. A ghoid uaim é!"

"An bhfuil seisean dofheicthe, leis?"

"Níl."

"Abair leat!"

"An féidir liom a thuilleadh bia a bheith agam sula n-inseoidh mé an scéal go léir duit? Tá ocras orm — agus pianta. Agus ba mhian leatsa go n-inseoinn scéalta duit!"

D'éirigh Ceimp. "Ní hamhlaidh gur chaith tusa aon urchar?" arsa seisean.

"Níor chaith," arsa an cuairteoir. "Chaith leibide éigin nach bhfaca mé riamh urchair go randamach. Tháinig sceimhle ar go leor acu. Bhí siad sceimhlithe romhamsa. Fán fada orthu! — a deirimse — tá níos mó bia ná an méid seo uaim, a Cheimp."

"Féachfaidh mé a bhfuil le n-ithe thíos staighre," arsa Ceimp. "Is beag é, is baolach."

Ach ar ith sé an bia, agus níor bheagán é, lorg an Fear Dofheicthe todóg. Bhain sé soc na todóige lena fhiacla sularbh fhéidir le Ceimp scian a aimsiú, agus lig sé eascaine as nuair a scamhadh an duille seachtrach. Ba rí-aisteach an ní é féachaint air agus é ag caitheamh tobac; foilsíodh a bhéal, a scornach, a fharaing agus a pholláirí mar bheadh múnla deataigh ghuairneáin.

"Tabhartas é an tobac!" ar seisean, agus é ag análú go bríomhar. "Tá an t-ádh liom gur tháinig mé ort, a Cheimp. Ní mór duit cabhrú liom. Samhlaigh gur tháinig mé ort gan choinne! Táim san fhaopach ceart — bhí mé as mo mheabhair, is dóigh liom. Na heachtraí a bhain dom! Ach déanfaimid rudaí fós. Táimse á rá leat—"

Dhoirt sé gloine eile uisce beatha agus sóide dó féin. D'éirigh Ceimp, d'fhéach sé uime, agus fuair sé gloine ón seomra breise. "Níl aon insint air — ach is dócha go mbeidh deoch agam."

"Is beag athrú a tháinig ort, a Cheimp, le dosaen de bhlianta anuas. Is beag athrú a thagann oraibhse, fir fhionna. Calma agus críochnúil — tar éis an eachtra. Ní mór dom a rá leat. Oibreoimid le chéile!"

"Ach conas a rinneadh é?" arsa Ceimp, "agus cad a d'fhág sa riocht seo thú?"

"In ainm Chroim, tabhair beagán suaimhnis dom go mbeidh gal agam! Agus tosnóidh mé á insint duit ansin."

Ach níor insíodh an scéal an oíche sin. Bhí caol láimhe an Fhir Dhofheicthe ag dul i bpianmhaire; bhí fiabhras air, bhí sé tnáite, agus thosnaigh sé ag cuimhneamh ar an dtóraíocht síos an cnoc agus ar an achrann sa tábhairne. Thug sé blúirí scaipthe eolais ar Mhac Amhra; chaith sé an tobac, agus tháinig fearg ar a ghlór. Rinne Ceimp iarracht a oiread agus arbh fhéidir leis a thabhairt leis.

"Bhí sé sceimhlithe romham, bhí sé le feiscint air go raibh," arsa an Fear Dofheicthe arís agus arís eile. "Rinne sé iarracht éalú uaim — bhí sé ar na bioráin aige riamh! Nach mise a bhí amaideach!

"An bithiúnach!

"Bhí sé de cheart agam a mharú!"

"Cá bhfuair tú an t-airgead?" arsa Ceimp, go hobann.

Thit an Fear Dofheicthe dá thost ar feadh tamaill. "Ní féidir liom a insint duit anocht," ar seisean.

Lig sé cnead as agus chlaon sé chun tosaigh, agus leag sé a chloigeann dofheicthe anuas ar a lámha dofheicthe. "A Cheimp," a dúirt sé, "Níor chodail mé le beagach trí lá, seachas cúpla néal uair an chloig nó mar sin. Ní mór dom dul a chodladh gan mhoill."

"Bíodh mo sheomra-sa agat — bíodh an ceann seo agat."

"Ach conas is féidir liom dul a chodladh? Má chodlaím, éalóidh sé leis. Obh! Nach cuma faoi!"

"Abair liom faoi ghoin an urchair?" arsa Ceimp, go hobann.

"Ní faic é — scríob agus fuil. A Thiarna! Tá codladh de dhíth orm!"

"Nach gcodlófá?"

Bhí an chuma air go raibh sé ag féachaint ar Cheimp. "Óir níor mhian liom go mbéarfadh mo chomhdhaoine orm," ar seisean go mall.

Baineadh stangadh as Ceimp.

"Is mise an t-amadán!" arsa an Fear Dofheicthe agus é ag bualadh an bhoird go pras. "Chuir mé an smaoineamh i do cheann."

CAIBIDIL XVIII
TÉANN AN FEAR DOFHEICTHE A CHODLADH

In ainneoin a thnáite agus a ghortaithe a bhí an Fear Dofheicthe, dhiúltaigh sé glacadh le focal Cheimp go dtabharfaí meas dá shaoirse. Scrúdaigh sé dhá fhuinneog an tseomra leapa, d'oscail sé an dallóg agus na saiseanna, chun a chinntiú gurbh fhéidir éalú tríothu, mar a dúirt Ceimp leis. Bhí an oíche ciúin agus calm lasmuigh, agus bhí an ghealach úr ag dul faoi laistiar den ngleann. Scrúdaigh sé eochracha an tseomra leapa agus dhá dhoras an tseomra gléasta, chun a chinntiú dó féin gurbh fhéidir iadsan a úsáid chun éalaithe leis. Dúirt sé go raibh sé sásta i ndeireadh na dála. Sheas sé ar ruga an tinteáin agus chuala Ceimp duine ag méanfach.

"Tá brón orm," arsa an Fear Dofheicthe, "nach féidir liom gach a ndearna mé a insint duit anocht. Ach táim tugtha tnáite. Tá sé uafásach, gan dabht. Tá sé ainnis! Ach creid uaim é, a Cheimp, in ainneoin a d'áitigh tú ar maidin, tá sé indéanta. Rinne mé fionnachtain. Bhí mé meáite ar a choinneáil chugam féin. Ní féidir liom. Ní mór dom comhpháirtí a bheith agam. Agus is tusa... Is féidir linn rudaí iontacha... Ach amáireach. Anois, a Cheimp, braithim gur chóir dom dul a chodladh nó bás a fháil."

Sheas Ceimp i lár an tseomra agus é ag stánadh ar an éadach gan chloigeann. "Ní mór dom d'fhágaint, is dócha," ar seisean. "Tá sé — dochreidte. Trí rud a thit amach mar seo, a chuir ar cheap mé bunoscionn — raghainn as mo mheabhair. Ach is fíor é! An féidir liom aon ní eile a fháil duit?"

"Oíche mhaith a fhágaint agam, sin uile," arsa an Grifíneach.

"Oíche mhaith," arsa Ceimp, agus chroith sé lámh le láimh dhofheicthe. Shiúil sé go cliathánach i dtreo an dorais. Shiúil an fhallaing sheomra ina threo go tapaidh gan choinne. "Tuig uaim é!" arsa an fhallaing sheomra. "Ná déantar iarracht mo ghabháil ná mo chosc! Nó—"

Tháinig athrach gnúise ar Cheimp. "Mheas mé gur thug mé m'fhocal duit," ar seisean.

Dhún Ceimp an doras go bog ina dhiaidh, agus casadh an eochair ann láithreach bonn. Ansin, agus é ina sheasamh ansin agus iontas air, chuala sé coiscéimeanna ag teacht go gasta chuig doras an tseomra gléasta agus glasáladh é sin chomh maith. Thug Ceimp boiseog dá bhaithis féin. "An ag brionglóidíocht atáim? An é an domhan atá trína chéile — nó mise?"

Rinne sé gáire agus chuir sé a lámh ar an ndoras glasáilte. "Caite amach as mo sheomra leapa féin agus áiféis amach is amach i m'áit!" ar seisean.

Shiúil sé go barr an staighre, thiontaigh sé, agus stán sé ar na doirse glasáilte. "Sin í an fhírinne," a dúirt sé. Chuimil sé a mhéaracha dá mhuineál a bhí ábhairín basctha. "An fhírinne dhobhréagnaithe! Ach—"

Chroith sé a cheann go héadóchasach, thiontaigh sé, agus chuaigh sé síos staighre.

Las sé lampa an tseomra bia, tharraing sé amach todóg, agus thosnaigh sé ag siúl anonn is anall sa seomra, agus é ag tabhairt amach. Dhéanadh sé argóint leis féin anois agus arís.

"Dofheicthe!" ar seisean.

"An bhfuil a leithéid de rud ann agus ainmhí dofheicthe? ... Sa mhuir, ní foláir. Na mílte — na milliúin. Na larbhaigh go léir, na nápalais agus tornáiria beaga go léir, na neacha beaga micreascópacha, na smugairlí róin. Is mó de rudaí dofheicthe ná sofheicthe sa mhuir. Níor chuimhnigh mé air sin cheana. Agus sna locháin chomh maith! Na neacha beaga sin sna locháin — oiread na fríde de ghlóthán tréshoilseach gan dath. Ach san aer? Ní hea!

"Ní féidir é.

"Ach i ndeireadh na dála — cén fáth nach féidir?

"Dá mba as gloine a bheadh duine déanta bheadh sé sofheicthe i gcónaí."

D'éirigh a chuid machnaimh an-doimhin. Bhí trí thodóg, beagnach, caite sa dofheictheacht nó leata ina luaith bhán ar an mbrat urláir sular labhair sé arís. Ní raibh ann an uair sin féin ach tabhairt amach. Thiontaigh sé go cliathánach, shiúil sé amach as an seomra, agus chuaigh sé isteach ina sheomra beag comhairliúcháin agus las sé an gás ann. Seomra beag a bhí ann, óir níorbh é cleachtadh na liachta slí bheatha an Dra Cheimp, agus bhí nuachtáin an lae ann. Bhí nuachtán na maidine ar oscailt go míchúramach agus caite i leataobh. Rug sé air, d'iompaigh sé é, agus léigh sé tuairisc ar "Scéal Aduain ó Bhaile Ipa" a léigh an mairnéalach i bPort Oirise chomh malltriallach sin do Mhr Mac Amhra. Léigh Ceimp go gasta é.

"Clúdaithe!" arsa Ceimp. "Faoi bhréagriocht! I bhfolach! 'Níorbh eol dóibh a chás.' Cad atá ar siúl aige in ainm Chroim?"

Leag sé uaidh an nuachtán, agus thosnaigh a shúil ag tóraíocht. "Á!" ar seisean, agus rug sé ar *St. James' Gazette*, agus é fillte mar a fuarthas é. "Anois a bheidh an fhírinne againn," arsa an Dr Ceimp. D'oscail sé an nuachtán; chuir sé suntas i gcúpla colún. "Baile Uile i Sosaics ar Mire" an teideal a bhí ann.

"A Thiarcais!" arsa Ceimp, agus é ag léamh cuntas dochreidte ar imeachtaí a thit amach i mBaile Ipa an tráthnóna roimhe sin, imeachtaí a ndearnadh cur síos orthu cheana féin. Ar an dtaobh thall den leathanach athchlódh an tuairisc i nuachtán na maidine.

Léigh sé arís é. "Rith sé trí na sráideanna agus é ag lascadh ar dheis agus ar chlé. Mac Seafair gan aithne gan urlabhra. Mr Mac an Cheannaí i bpian mhór — gan a bheith in ann cur síos a dhéanamh ar a bhfaca sé fós. Náiriú léanmhar — biocáire. Bean breoite tar éis a sceimhlithe. Fuinneoga ina smidiríní. Seans gur cumadóireacht é an scéal dochreidte seo go léir. Rómhaith gan a phriontáil — *cum grano!*"

Chaith sé uaidh an nuachtán agus stán sé ar nós cuma liom os a chomhair amach. "Seans gur chumadóireacht é!"

Rug sé ar an nuachtán athuair, agus d'athléigh sé an scéala. "Ach cén uair a thagann an bacach isteach sa scéal? Cén fáth sa tsioc a raibh sé sa tóir ar bhacach?"

127

Shuigh sé síos go hobann ar an mbinse liachta. "Ní hamháin atá sé dofheicthe," ar seisean, "ach is gealt é! Dúnmharfach!"

Nuair a mheasc solas bhreacadh an lae le solas an lampa agus le toit na dtodóg sa seomra bia, bhí Ceimp ag siúl anonn is anall fós, agus é ag iarraidh an ní dochreidte a thuiscint.

Bhí an iomad bíse air go dtitfeadh sé a chodladh. Tháinig na searbhóntaí, agus iad ag teacht anuas an staighre go codlatach, tháinig siad air agus mheas siad gurbh é an iomarca staidéir a d'fhág san ainriocht sin é. Thug sé treoracha neamhghnácha, ach an-sonrach, dóibh bricfeasta do bheirt a leagan amach sa seomra staidéir ar an urlár uachtair — agus ansin a fhanacht san íoslach agus ar urlár na talún. Lean sé air ansin ag siúl anonn agus anall sa seomra bia nó gur seachadadh nuachtán na maidine. Bhí go leor le rá acu ach beagán le n-insint, seachas dearbhú na hoíche roimhe sin, agus tuairisc dhrochscríofa ar scéal dochreidte eile ó Phort na Copóige. Thug sé sin éirim an scéil a thit amach sa "Cruicéadóirí Croíúla," agus an t-ainm Mac Amhra dó. "Thug sé orm fanúint leis ar feadh ceithre uair an chloig is fiche," a d'áitigh Mac Amhra. Cuireadh roinnt mionfhíricí le scéala Bhaile Ipa, go háirithe gur gearradh sreang theileagraif an bhaile. Ach ní raibh aon eolas ann a d'fhoilseodh an ceangal a bhí idir an Fear Dofheicthe agus an Bacach; óir níor thug Mr Mac Amhra aon eolas faoi na trí leabhar, ná faoin airgead a bhí ar iompar aige. Bhí tuin na dochreidteachta imithe agus bhí buíon tuairisceoirí agus fiosraitheoirí ag maisiú an scéil cheana féin.

Léigh Ceimp gach blúire den tuairisc agus sheol sé an cailín aimsire amach chun nuachtáin uile na maidine a aimsiú. Léigh sé iadsan go fonnfhiosrach freisin.

"Tá sé dofheicthe!" ar seisean. "Agus scéal chailleach an uafáis atá acu!" Na rudaí a d'fhéadfadh sé a dhéanamh! Na rudaí a d'fhéadfadh sé a dhéanamh! Agus é in airde staighre chomh saor le druid. Cad ba chóir dom a dhéanamh?"

"Cuir i gcas, ar shárú focail é dá—? Ní hea."

Chuaigh sé anonn go deasc beag míshlachtmhar sa chúinne, agus thosnaigh sé ag scríobh nóta. Stróic sé an nóta leathscríofa ó chéile, agus scríobh sé ceann eile. Léigh sé é agus rinne sé a mharana air. Fuair sé clúdach litreach ansin agus chuir sé an seoladh "An Ceannfort de Híde, Port na Copóige" air.

Dhúisigh an Fear Dofheicthe agus Ceimp á dhéanamh sin. Bhí racht feirge air ar a dhúiseacht dó, agus chuala Ceimp, ag bhí ag faire gach fuaime, "trup trap" na gcos ag gluaiseacht go tapaidh trasna an tseomra codlata os a chionn in airde. Teilgeadh cathaoir ansin agus rinneadh smidiríní de sheastán an bháisín níocháin. Bhrostaigh Ceimp in airde staighre agus chnag sé go fonnmhar.

CAIBIDIL XIX
BUNPHRIONSABAIL ÁIRITHE

"Cad tá ort?" arsa Ceimp, nuair a scaoil an Fear Dofheicthe isteach é.

"Faic," ar seisean.

"Ach, damnú air! An clampar?"

"Racht feirge!" arsa an Fear Dofheicthe. "Rinne mé dearúd ar an lámh seo; agus tá sé tinn."

"Tá claonadh ionat chuige sin."

"Tá."

Shiúil Ceimp trasna an tseomra agus bhailigh sé bloghtracha na gloine briste. "Foilsíodh na fíricí ar fad fút," arsa Ceimp, agus é ina sheasamh ann agus an ghloine ina láimh aige; "gach ar tharla i mBaile Ipa, agus síos an cnoc. Tá an saol eolach ar a shaoránach dofheicthe. Ach ní heol d'éinne gur anseo atá tú."

Lig an Fear Dofheicthe eascainí as.

"Tá an scéal amuigh. Glacaim leis gur rún a bhí ann. N'fheadar cé na pleananna atá agat, ach is mian liom cabhrú leat gan amhras."

Shuigh an Fear Dofheicthe ar an leaba.

"Tá bricfeasta in airde staighre," arsa Ceimp, agus é ag labhairt chomh séimh agus arbh fhéidir leis, agus b'áthas leis gur éirigh an t-aoi aduain ina sheasamh go toilteanach. Shiúil Ceimp roimhe suas an staighre cúng chuig an urlár uachtair.

"Sula ndéanfaimid aon ní eile," arsa Ceimp, "ní mór dom a thuilleadh eolais a fháil ar an ndofheictheacht seo." Shuigh sé síos, ach ar fhéach sé go neirbhíseach amach an fhuinneog, mar a bheadh fear a bhí ag déanamh beart de réir a bhriathair. Tháinig amhras air faoi shlánchiall an ghnó go léir ach scaipeadh arís é nuair a d'fhéach sé anonn ar an áit a raibh an Grifíneach ina shuí ag bord an bhricfeasta — fallaing sheomra gan chloigeann gan lámh, ag cuimilt beola dofheicthe ar naipcín boird a bhí ar crochadh go míorúilteach.

"Tá sé sách simplí — agus sách inchreidte," arsa an Grifíneach, agus é ag leagan an naipcín uaidh agus ag cromadh an chloiginn dhofheicthe ar láimh dhofheicthe.

"Tá duitse, gan amhras, ach—" arsa Ceimp de gháire.

"Bhuel, tá; mheas mé gurbh iontach ar dtúis é, gan amhras. Ach anois, go bhfóire Dia orainn! ... Ach déanfaimid rudaí iontacha fós! Tháinig mé ar an ábhar ar dtúis ag Greanoiris."

"Greanoiris?"

"Chuaigh mé ann ach ar fhág mé Londain. D'éirigh mé as cúrsaí leighis agus thug mé faoin bhfisic, arbh eol duit? Nárbh eol; thug, ambaist. Bhí mé gafa le *solas*."

"Á!"

"Dlús optúil!" Mogalra dúcheisteanna is ea an t-ábhar go léir — mogalra a bhfuil freagraí ag glioscarnach tríd go do-aimsithe. Ó tharla nach raibh mé ach dhá bhliain fichead d'aois agus lán de theaspach, arsa mise liom féin, 'Caithfidh mé mo shaol leis seo. Is fiú é seo.' Tá fhios agat a amaidí a bhímid agus sinn dhá bhliain fichead d'aois?"

"Amaidí an uair sin nó amaidí anois?" arsa Ceimp.

"Amhail is gur díol sásaimh a fhios sin a bheith ag duine!

"Ach chrom mé ar an obair — mar a bheadh sclábhaí. Agus ba ar éigean a bhí mé ag obair agus ag machnamh ar an ábhar sé mhí sular scal solas trí cheann amháin de na mogalraí de gheit — do mo chaochadh! D'aimsigh mé prionsabal ginearálta líonra agus athraonaidh — foirmle, slonn geoiméadrach a bhain le ceithre thoise. Ní heol d'amadáin, do gháthdhaoine, do ghnáthmhatamaiticeoirí fiú, an chiall a bhainfeadh mac léinn le fisic mhóilíneach as slonn ginearálta áirithe. Sna leabhair — a d'fholaigh an bacach — tá ábhair iontais, míorúiltí! Ach níor mhodh a bhí ann; tuairim a bhí ann, a thabharfadh modh, b'fhéidir, lena bhféadfaí a fhíorú, gan aon airí eile damhna a athrú — seachas, i gcásanna áirithe dathanna — chun innéacs athraonta substainte, soladaigh nó leachta, a ísliú go hinnéacs athraonta an aeir — chomh fada agus a bhaineann le gach críoch phraiticiúil."

"Obh!" arsa Ceimp. "Nach ait é! Ach ní thuigim fós... Tuigim go bhféadfá cloch luachmhar a loit dá réir, ach is mór idir é sin agus dofheictheacht."

"Sin é go díreach é," arsa an Grifíneach. "Ach cuimhnigh go mbraitheann infheictheacht ar ghníomhú ábhar infheicthe ar sholas. Ionsúnn ábhar solas, nó frithchaitheann sé é nó athraonann sé é, nó déanann sé gach ceann díobh. Mura ndéanann sé solas a fhrithchaitheamh ná a athraonadh ná a ionsú, ní féidir an t-ábhar féin a fheiscint. Feictear bosca teimhneach dearg, cuir i gcás, toisc go n-ionsúnn an dath cuid den solas agus go bhfrithchaitheann sé an chuid eile, cuid dhearg uile an tsolais. Mura ndéanfadh sé aon chuid faoi leith den solas a ionsú, ach é go léir a fhrithchaitheamh, ba bhosca glioscarnach geal a bheadh ann. Bosca airgid! Ní dhéanfadh bosca diamaint go leor den solas a ionsú ná go leor de a fhrithchaitheamh ón ndromchla ginearálta, ach díreach anseo agus ansiúd, áit a ndéanfadh an dromchla cuí an solas a fhrithchaitheamh agus a athraonadh, agus is é a bheadh ann cuma iontach frithchaití glioscarnacha agus tréshoilseachtaí — mar a bheadh creatlach solais. Ní bheadh bosca gloine chomh glioscarnach ná chomh sofheicthe sin le bosca diamaint, toisc gur lú an t-athraonadh agus an frithchaitheamh a bheadh ann. An dtuigeann tú? Ó dhearcaí áirithe, d'fheicfeá tríd go soiléir. Bheadh cineálacha áirithe gloine ní ba shofheicthe ná cineálacha eile, bheadh bosca gloine breochloiche ní ba ghile ná bosca gnáthghloine fuinneoige. Ba dheacair bosca gnáthghloine tanaí a fheiscint faoi lagsholas, toisc nach n-ionsúdh sé solas ar éigean agus nach ndéanfadh sé ach fíorbheagán solais a athraonadh agus a fhrithchaitheamh. Agus dá gcuirfí bileog ghnáthghloine báine in uisce, anuas air sin dá gcuirfí i leacht ní ba dhlúithe ná uisce í, is beag nach n-imeodh sí ó radharc ar fad, toisc nach ndéantar solas a théann ó uisce go gloine a fhrithchaitheamh ná a athraonadh ach ar éigean ná ní chuirtear isteach air ach ar éigean. Bheadh sí chomh dofheicthe céanna, nach mór, le scaird gáis ghuail nó hidrigine in aer. Agus ar an mbonn céanna go díreach!"

133

"Sea," arsa Ceimp, "is furasta é sin a thuiscint."

"Agus seo rud eile atá fíor mar is eol duit. Má dhéantar leathán gloine a bhriseadh ina smidiríní agus a mheilt ina phúdar, is sofheicthe i bhfad é agus é san aer; déantar púdar teimhneach bán de i ndeireadh na dála. Is amhlaidh go méadaíonn an phúdráil dromchlaí na gloine ar a dtarlaíonn athraonadh agus frithchaitheamh. Níl sa leathán gloine ach dhá dhromchla; i gcás an phúdair déanann gach gráinne an solas a scallann tríd a fhrithchaitheamh nó a athraonadh, agus is beag in aon chor a théann díreach tríd an bpúdar. Ach má chuirtear an ghloine phúdráilte bhán in uisce, imíonn sé ó radharc. Tá an chomhéifeacht athraonta chéanna, a bheag nó a mhór, ag an ngloine phúdráilte agus ag an uisce; is é sin, gur beag athraonadh nó frithchaitheamh a tharlaíonn don solas agus é ag scaladh ó cheann amháin díobh chuig an gceann eile.

"Éiríonn an ghloine dofheicthe ach í a chur i leacht ag a bhfuil an chomhéifeacht athraonta chéanna, a bheag nó a mhór; éiríonn ábhar trédhearcach dofheicthe má chuirtear i meán ar bith é ag a bhfuil an chomhéifeacht athraonta chéanna, a bheag nó a mhór. Agus má smaoiníonn tú air ar feadh soicind, feicfidh tú gurbh fhéidir púdar an ghloine a chur ó radharc san aer, dá bhféadfaí an chomhéifeacht athraonta chéanna a thabhairt dó agus atá ag aer; óir sa chás sin ní bheadh aon athraonadh ná frithchaitheamh ann agus an solas ag dul ón ngloine chuig an aer."

"Sea, sea," arsa Ceimp. "Ach ní gloine phúdráilte é an duine!"

"Ní hea," arsa an Grifíneach. "Is trédhearcaí i bhfad é!"

"Seafóid!"

"Arsa an dochtúir! Nach furasta a ligtear eolas i ndearúd! An ndearna tú dearúd cheana féin ar an bhfisic, in imeacht deich mbliana? Smaoinigh ar na rudaí go léir atá trédhearcach ach nach bhfuil an chuma sin orthu. Cuir i gcás páipéar, atá déanta as snáithíní trédhearcacha, agus tá sé bán agus teimhneach ar an gcúis chéanna agus atá púdar na gloine bán agus teimhneach. Cuirtear ola ar pháipéar bán, líontar na scáiní idir na cáithníní le híle ionas nach mbeadh athraonadh ná frithchaitheamh ann a thuilleadh ach amháin ar na dromchlaí, agus éiríonn sé chomh trédhearcach le gloine. Agus ní hamháin páipéar, ach snáithín cadáis, snáithín línéadaigh, snáithín adhmadach agus *cnámh*, a Cheimp, *feoil*, a Cheimp, *gruaig*, a Cheimp, *ingne* agus *néaróga*, a Cheimp, leoga tá fabraic uile an duine seachas deirge a chuid fola agus lí dhubh na gruaige déanta as fíochán trédhearcach gan dath. Dá bhrí sin, is beag atá de dhíth ionas go bhfeicfimis a chéile. Den chuid is mó, ní teimhní ná uisce iad snáithíní an neach bheo."

"A Thiarcais!" arsa Ceimp. "Gan amhras, gan amhras!" Ba aréir féin a bhí mé ag smaoineamh ar larbhaigh mhara agus na smugairlí róin uile!"

"*Anois* a thuigeann Tadhg Taidhgín! Agus bhí an tuiscint sin agam bliain tar éis dom Londain a fhágaint — sé bliana ó shin. Ach choimeád mé chugam féin é. Bhí orm mo chuid oibre a dhéanamh faoi mhíbhuntáistí uafásacha. Sárachán ba ea an t-ollamh a bhí agam, Oliver, iriseoir ó cheart, gadaí tuairimí — bhíodh sé de shíor ag físeoireacht! Agus tá a fhios agat córas cneamhaireachta dhomhan na heolaíochta. Níorbh fhéidir liom aon ní a fhoilsiú agus ligean dó-san an t-aitheantas a roinnt. Lean mé orm ag obair; d'éirigh mé ní ba ghaire agus ní ba ghaire do thurgnamh, do réaltacht, a dhéanamh de m'fhoirmle. Níor inis mé do dhuine ná do dheoraí é, óir bhí sé i gceist agam mo shaothar a fhoilsiú don domhan gan é a scrios agus cáil a bhaint amach. Scrúdaigh mé ceist na líocha chun bearnaí áirithe a líonadh. Agus go hobann, ní d'aon ghnó ach de thaisme, rinne mé fionnachtain san fhiseolaíocht."

"An ea?"

"An t-ábhar sin a thugann dath dearg don fhuil; is féidir é a dhéanamh bán — gan dath — agus na feidhmeanna go léir atá aige a choimeád!"

Lig Ceimp iolach iontais as.

D'éirigh an Fear Dofheicthe ina sheasamh agus thosnaigh sé ag siúl anonn agus anall sa seomra beag staidéir. "Ní hionadh liom do chuid iontais. Is cuimhin liom an oíche sin. Antráth na hoíche a bhí ann — i rith an lae bhínn cruógach leis na mic léinn bhreallánta bhéal-leata — agus d'oibrínn liom go breacadh an lae anois agus arís an uair sin. Rith sé liom go hobann, go hiontach agus go hiomlán. Bhí mé asam féin; bhí an tsaotharlann ina tost agus bhí na soilse arda ar lasadh go geal. Na huaireanta ab éachtaí i mo shaol, bhí mé asam féin. 'D'fhéadfaí ainmhí — fíochán — a dhéanamh trédhearcach! D'fhéadfaí é a dhéanamh dofheicthe! Gach ní seachas na líocha — D'fhéadfainnse a bheith dofheicthe!' arsa mise, agus thuig mé láithreach a raibh i gceist lena leithéid sin d'eolas a bheith ag ailbíneach. Tháinig tocht orm. Thréig mé an scagadh a bhí ar siúl agam, agus chuaigh mé anonn agus stán mé amach an fhuinneog mhór ar na réaltaí. 'D'fhéadfainn a bheith dofheicthe!' arsa mise arís.

"Tarchéimniú na draíodóireachta a bheadh ann dá ndéanfaí a leithéid. Agus samhlaíodh dom, gan doiléire an amhrais, an t-iontas a bhainfeadh leis an ndofheictheacht i gcás an duine — an mhistéir, an chumhacht, an tsaoirse. Níor samhlaíodh aon mhíbhuntáiste dom. Ní gá ach smaoineamh air! Agus d'fhéadfainnse, teagascóir daibhir faoi éadach smolchaite, a bhí ag teagasc leibidí i gcoláiste áitiúil, é sin a bhaint amach. Fiafraím díot, a Cheimp, an dtabharfá-sa... Thabharfadh duine ar bith, a deirim leat, go dóite faoin taighde sin. Agus chaith mé trí bliana ag obair air, agus le gach mullach achrainn a chuir mé díom, taispeánadh mullach eile romham fós. Na mionsonraí éigríochta. Agus an crá! Ollamh, ollamh áitiúil, ag físeoireacht de shíor. 'Cén uair a chuirfidh tú an saothar sin agat i gcló?' an tsíorcheist a bhí aige. Agus na mic léinn, an teacht isteach suarach! Trí bliana a mhair sé —

"Agus tar éis thrí bliana na rúndachta agus an chrá, fuair mé amach go raibh a thabhairt chun críche dodhéanta — dodhéanta."

"Conas é sin?" arsa Ceimp.

"Airgead," arsa an Fear Dofheicthe, agus chuaigh sé anonn arís agus stán sé amach an fhuinneog.

Thiontaigh sé go hobann. "Ghoid mé ó m'athair.

"Níor leis an t-airgead, agus chaith sé é féin."

CAIBIDIL XX
SA TEACH AR SHRÁID MHÓR NA PORTCHRÍCHE

Shuigh Ceimp ann ina thost, é ag stánadh ar dhrom na deilbhe gan chloigeann a bhí ag an bhfuinneog. Baineadh stangadh as, ach ar bhuail smaoineamh é, d'éirigh sé, rug sé ar ghéag an Fhir Dhofheicthe, agus thiontaigh sé ón radharc é.

"Tá tuirse ort," ar seisean, "agus fad atáimse i mo shuí, tá tusa ag siúl timpeall. Bíodh mo chathaoir agat."

Sheas sé idir an Grifíneach agus an fhuinneog ba ghaire dó.

Shuigh an Grifíneach inti gan focal a rá ar feadh tamaill, agus lean sé air de gheit ansin:

"Bhí mé imithe ó theachín Ghreanoirise," ar seisean, "nuair a tharla sé. Mí na Nollag seo caite a bhí ann. Bhí seomra ar cíos agam i Londain, seomra mór gan troscán i dteach mór aíochta droch-bhainistithe ar chúlsráid shuarach gar do Shráid Mhór na Portchríche. Níorbh fhada go raibh an seomra lán d'fhearais a cheannaigh mé lena chuid airgid; bhí an saothar ag dul chun cinn go seasta, go rathúil agus ag druidim le ceann scríbe. Bhí mé mar a bheadh fear a bheadh ag teacht amach as doire agus ar thragóid éigin gan bhrí. Chuaigh mé chun a adhlactha. Bhí mé gafa i gcónaí leis an dtaighde, agus ní dhearna mé oiread na fríde chun a cháilmheas a chosaint. Is cuimhin liom an tsochraid, an cóiste marbh saorluacha, an searmanas scáinte, an leitir ghaofar fheanntach, agus an seanchara ón gcoláiste a léigh an tseirbhís faoi — fear cromtha faoi éadach dubh smolchaite a raibh slaghdán smaoiseach air.

"Is cuimhin liom siúl ar ais chuig an teach folamh, tríd an áit a raibh sráidbhaile ann tráth agus a raibh dreach gránna baile an uair sin air tar éis do na muclaigh mille maide a dhéanamh de. Shín na bóithre amach sna páirceanna scriosta mar a raibh carnáin spallaí agus fiaile fhliuch bhréan. Is cuimhin liom mo bheith i mo lománach dubh ag siúl an cosán sleamhain galbhánach agus a scoite a bhrath mé ó mheasúlacht shuarach, ó thráchtálachas sprionlaithe na háite.

"Níor bhraith mé trua dá laghad do m'athair. Mheas mé gur fhulaing sé de bharr a mhaoithneachais mhíchéilí féin. D'éiligh béalchráifeacht an ama go rachainn ar a shochraid, ach níor bhain sí liom i ndáiríre.

"Ach ag siúl dom ar an bPríomhshráid, d'fhill mo sheansaol orm ar feadh tamaill, óir casadh cailín orm a raibh aithne agam uirthi deich mbliana roimhe sin. Thugamar sracfhéachant i súile a chéile.

"Thug rud éigin orm iompú agus labhairt léi. Gnáthdhuine amach is amach ba ea í.

"Ba gheall le brionglóid an rud go léir, an chuairt sin ar na sean-áiteanna. Níor bhraith mé an uair sin go raibh uaigneas orm, gur tháinig mé amach ón saol isteach in áit thréigthe. Thuig mé go raibh díth dáimhe orm, ach mheas mé gur bhain sé le gnáthleimhe. Ach a ndeachaigh mé isteach i mo sheomra arís, ba gheall le haisghabháil na réaltachta é. B'iúd romham na nithe sin a raibh eolas agus cion agam orthu. B'iúd romham an gaireas, na turgnaimh leagtha amach agus an feitheamh. Agus ansin ba bheag deacracht a bhí fágtha, seachas mionsonraí a phleanáil.

"Inseoidh mé duit, a Cheimp, luath nó mall, na próisis chasta go léir. Ní gá dúinn é sin a phlé anois. Den chuid is mó, cé is moite de bhearna a bheartaigh mé a chur chun cuimhne, tá siad rúnscríofa sna leabhair a chuir an bacach i bhfolach. Ní mór dúinn é a thóraíocht. Ní mór dúinn na leabhair sin a fháil arís. Ach ba é an chéim ba riachtanaí an oibiacht thrédhearcach ar ghá a chomhéifeacht athraonta a ísliú a chur idir dhá mhol ghathacha a rinne creathadh éitreach, rud a mhíneoidh mé duit amach anseo. Ní na creatháin Rointgin sin — ní heol dom go ndearnadh cur síos ar na creatháin eile seo agamsa. Ach mar sin féin, tá siad sách follasach. Bhí dhá dhineamó bheaga de dhíth orm, agus rith mé iad le hinneall saor gáis. Píosa fabraice olla báine ba ea an chéad turgnamh. Ba é an ní ab aistí ar domhan é a fheiscint i mbladhmadh na splancanna boga bána, agus ansin a fheiscint ag dul in éag mar a bheadh púir deataigh agus imeacht ó radharc.

"Ba ar éigean a chreid mé gur éirigh liom. Shín mé mo lámh isteach san fholús, agus bhí an rud ann agus é chomh soladach agus a bhí riamh. Chuimil mé go héiginnte é, agus chaith mé ar an urlár é. Ba ar éigean a tháinig mé air arís.

"Agus ansin tharla rud éigin ait. Chuala mé mí-abha laistiar díom, agus ar mo thiontú dom, chonaic mé cat seang bán, an-bhrocach, lasmuigh den fhuinneog. Rith smaoineamh liom. 'Tá gach rud ullamh duit,' arsa mise, agus chuaigh mé anonn chuig an bhfuinneog, d'oscail mé í, agus ghlaoigh mé go séimh. Tháinig sí isteach agus í ag crónán — bhí ocras cíocrach ar an gcréatúr — agus thug mé bainne di. Bhí mo chuid bia go léir sa phreas i gcúinne an tseomra. Ina dhiaidh sin, thosnaigh sí ag smúracht ar fud an tseomra agus é ar intinn aici, ní foláir, baile a dhéanamh de. Chuir an cheirt dhofheicthe isteach uirthi de bheagán; dá gcífeá í ag spréachadh léi! Ach chuir mé ina luí go suaimhneach í ar philiúr ar an leaba bhreise. Agus thug mé im di chun a thabhairt uirthi í féin a ghlanadh.

"Agus phróiseáil tú í?"

"Phróiseáil. Ach ní haon ribín réidh é drugaí a thabhairt do chat, a Cheimp! Agus chlis ar an bpróiseas."

"Chlis air!"

"Ar dhá shlí. Bhí na crúba agus an lí sin, cén rud é féin? — atá ar chúl shúile an chait. Tá a fhios agat?"

"*Taipéit.*"

"Sea, an taipéit. Níor ceileadh é. Tar éis dom an t-ábhar a thabhairt di chun an fhuil a thuar agus rudaí eile a dhéanamh, thug mé óipiam di, agus leag mé í féin agus an piliúr ar a raibh sí ina codladh, ar an ngaireas. Ach a ndeachaigh a colainn as radharc ní raibh fagtha ach dhá scáil bheaga de shúile."

"Nach ait!"

"Níl aon mhíniú agam air. Bhí bindealáin uirthi agus bhí sí ceangailte, gan amhras — agus bhí sí sábháilte; ach dhúisigh sí agus a colainn mar a bheadh ceo, agus rinne sí mí-abha olagónach, agus tháinig duine ag cnagadh ar an ndoras. Seanbhean a raibh cónaí uirthi thíos staighre a bhí ann agus í ag cur i mo leith go raibh beodhioscadh ar siúl agam — cráiteachán meisciúil, gan sa saol aici ach cat bán. Fuair mé clóraform, d'úsáid mé é, agus d'fhreagair mé an doras. "Ar chuala mé cat?" ar sise. 'Mo chatsa?' 'Ní anseo,' arsa mise, go béasach. Bhí amhras uirthi agus rinne sí iarracht gliúcaíocht seachad orm isteach sa seomra; b'aisteach léi gan dabht — ballaí loma, fuinneoga gan chuirtíní, leaba shealadach, an t-inneall gáis ar creathadh, agus cumhra géar an chlórafoirm san aer. Caithfidh go raibh sí sásta ar deireadh agus d'imigh sí léi.

"Cá fhad a ghlac sé?" arsa Ceimp.

"Trí nó ceithre uair an chloig — an cat. Ba iad na cnámha agus na féitheoga agus an tsaill na nithe deiridh a d'imigh, agus barr na ribí daite fionnaidh. Agus, mar a deirim, d'fhan cúl na súl, ábhar righin dathlonrach.

"Bhí an oíche tite sula raibh an gnó ar fad déanta, agus níorbh fhéidir faic a fheiscint seachas na súile maolaithe agus na crúba. Chas mé as an t-inneall gáis, d'aimsigh mé agus chuimil mé an t-ainmhí, a bhí fós gan chiall, agus ansin, ó tharla go raibh tuirse orm d'fhag mé ina codladh í agus chuaigh mé féin a luí. Ba dheacair dom titim a chodladh. Bhí mé ansin i mo luí agus nithe gan dealramh ar m'intinn agam, ag cuimhneamh ar an dturgnamh ó thús deireadh arís agus arís eile, nó ag aislingeacht go fiabhrasach faoi nithe ag déanamh ceo agus ag imeacht as radharc, nó go raibh gach rud, an talamh ar ar sheas mé fiú, imithe, agus bhain ceann de na tromluíthe titime sin díom. Um a dó a chlog, thosnaigh an cat ag geonaíl sa seomra. Rinne mé iarracht a cur dá tost ach labhairt léi, agus ansin bheartaigh mé ar a scaoileadh saor. Is cuimhin liom an gheit a baineadh asam uair a las mé solas — ní raibh ann ach dhá shúil chruinne lonracha ghlasa — gan aon ní umpu. Thugainn bainne di, ach ní raibh aon bhainne agam. Ní stadadh sí den gheonaíl; shuigh sí agus lean sí uirthi leis an mí-abha ag an doras. Rinne mé iarracht breith uirthi, agus é beartaithe agam a cur lasmuigh den fhuinneog, ach níorbh fhéidir breith uirthi; d'imigh sí ó radharc. Thosnaigh sí ag geonaíl in áiteanna difriúla sa seomra. I ndeireadh na dála d'oscail mé an fhuinneog agus rinne mé torann. Ní foláir nó gur éalaigh sí. Ní fhaca mé arís í.

"Ansin — n'fheadar cén fáth, i gcuntas Dé — thosnaigh mé ag smaoineamh ar shochraid m'athar arís, agus ar an leitir fheanntach ghaofar, nó gur breacadh an lá. Níorbh fhéidir liom titim a chodladh, agus d'imigh mé liom amach ar shráideanna na maidine, tar éis dom an doras a chur faoi ghlas.

"Ná habair go bhfuil cat dofheicthe sa dúthaigh!" arsa Ceimp.

"Murar maraíodh í," arsa an Fear Dofheicthe. "Cén fáth?"

"Cén fáth?" arsa Ceimp. "Ní raibh sé i gceist agam teacht romhat."

"An-seans gur maraíodh í," arsa an Fear Dofheicthe. "Bhí sí beo ceithre lá dá éis sin, tá a fhios agam, agus í thíos faoi ghráta ar Shráid Mhór Pháirc Titch; óir chonaic mé slua mór san áit agus iad ag iarraidh a dhéanamh amach cá as ar tháinig an mí-abha."

D'fhan sé ina thost ar feadh nóiméid nó mar sin. Lean sé air go hobann ansin:

"Is cuimhin liom go soiléir an mhaidin sin roimh an athrú. Ní foláir nó go ndeachaigh mé suas go Sráid Mhór na Portchríche. Is cuimhin liom na beairicí ar Shráid Alban, agus na saighdiúirí ar muin capaill ag teacht amach, agus ansin ar deireadh bhí mé ar mhullach Chnoc an tSabhaircín. Lá grianmhar i mí Eanáir a bhí ann — ceann de na laethanta glasa grianmhara sin a bhíonn ann sula dtiteann sneachta na bliana. Rinne mo mheabhair thnáite iarracht plean a chur le chéile.

"Bhí ionadh orm a thuiscint go raibh an bua i ndán dom, go gcuirfinn an togra i gcrích gan dabht ar bith. Chun an fhírinne a insint, bhí mé lag tnáite; tar éis dian-obair ceithre bliana agus an strus a bhain léi, níorbh fhéidir liom aon ní a mhothú. Bhí mé ar nós cuma liom, agus rinne mé iarracht in aisce díograis na chéad fhiosruithe a athbheochan ionam, díocas sin na fionnachtana a chuir ar mo chumas éag m'athar a ligean i ndearúd. Ba chuma liom faoi aon rud. Thuig mé go soiléir nach raibh ann ach braistint shealadach, de bharr ró-oibre agus díth codlata, agus go rachainn chun bisigh ach a bhfaighfinn codladh nó drugaí.

"Ní raibh ag déanamh tinnis dom ach nár mhór an beart a chur i gcrích; bhí mé faoi smacht na tuairime daingne sin i gcónaí. Níor mhór é a dhéanamh go pras óir ba bheag airgead a bhí fágtha agam. D'fhéach mé umam ar an leitir, mar a raibh leanaí ag súgradh agus ógánaigh mná ag faire orthu, agus rinne mé iarracht smaoineamh ar na buntáistí gan ríomh a bheadh ag fear dofheicthe sa saol. Tar éis tamaill bhain mé an baile amach ar éigean, d'ith mé roinnt bia agus thóg mé dáileog mhór stricnín, agus chuaigh mé a chodladh gan baint díom ar leaba gan chóiriú. Is iontach an íocshláinte é an stricnín, a Cheimp, chun an leimhe a bhaint de dhuine."

"Tá an diabhal air," arsa Ceimp. "Tá sé primitíbheach."

"Dhúisigh mé agus mé lán de theaspach agus cantal orm. Tá a fhios agat?"

"Tá a fhios agam é."

"Agus bhí duine éigin ag cnagadh ar an ndoras. Ba é an tiarna talún a bhí ann agus idir bhagairtí agus cheisteanna aige; seanghiúdach Polannach a raibh cóta fada liath agus slipéirí gréisceacha air. Bhí cat á chiapadh ar feadh na hoíche agam, dar leis — bhí teanga na seanmhná gorm aici, ní foláir. Theastaigh uaidh an scéal a chlos. Bhí dlíthe daingne in éadan an bheodhiosctha sa tír seo — seans go mbeadh dliteanas airsean. Níorbh ann do chat, a dúirt mé leis. Anuas air sin, bhíothas in ann creathadh an innillín gáis a bhrath ar fud an tí, dar leis. B'fhíor dó an méid sin. Tháinig sé seachad orm isteach sa seomra, agus é ag gliúcaíocht os cionn a spéaclaí Gearmánacha airgid, agus tháinig scaoll orm go hobann go dtabharfadh sé leis cuid de mo rún. Rinne mé iarracht seasamh idir é agus an gaireas comhdhlúthúcháin a rinne mé, ach b'amhlaidh a bhíog sin a chuid fiosrachta. Cad atá ar bun agam? Cén fáth a mbínn asam féin agus ceilteach i gcónaí? An raibh sé dleathach? An raibh sé contúirteach? Níor íoc mé ach gnáthchíos. Bhí meas ar an dteach sin aige riamh — i gcomharsanacht a raibh droch-chlú uirthi. Tháinig racht feirge orm go hobann. Dúirt mé leis a bheith ag greadadh leis. Thosnaigh sé ag argóint, ag caint ar an gceart a bhí aige teacht isteach. I bhfaiteadh na súl bhí greim agam ar a bhóna; stróiceadh rud éigin agus cuireadh ag guairneán amach sa dorchla é. Dhún mé an doras de phlab, chuir mé faoi ghlas é agus shuigh mé síos ar ballchrith.

"Bhí clampar aige lasmuigh, ar thug mé neamhaird air, agus tar éis tamaill d'imigh sé leis.

"Ach chuir sé sin an lasóg sa bharrach. Ní raibh a fhios agam a ndéanfadh sé, nó a raibh sé de chumhacht aige a dhéanamh. Dá mbíodh orm bogadh go hárasán eile, chuirfí moill orm; ní raibh d'airgead sa saol agam ach fiche punt ar éigean agus an chuid ba mhó de sin sa bhanc — agus níorbh acmhainn dom bogadh. Imeacht ó radharc! Bhí cathú orm. Ansin, bheadh fiosrú ann agus dhéanfaí mo sheomra a chartadh.

"Nuair a smaoinigh mé ar an mbaol a bhí ann go bhfoilseofaí mo shaothar don saol mór nó go gcuirfí isteach air agus é i mbéal a bhuaice, tháinig an-fhearg orm agus d'éirigh mé an-ghníomhach. Bhrostaigh mé amach le mo thrí leabhar nótaí, mo sheicleabhar — atá ag an mbacach anois — agus sheol mé iad ón oifig phoist ba ghaire dom chuig teach chun litreacha agus beartáin a bhailiú ar Shráid Mhór na Portchríche. Rinne mé iarracht dul amach go ciúin. Ar mo theacht isteach dom, casadh an tiarna talún orm agus é ag dul in airde staighre go ciúin; ní foláir nó gur chuala sé an doras á dhúnadh. Dhéanfá gáire dá bhfeicfeá ag léimint as an tslí ar an staighre é agus mé ina dhiaidh de ruathar. Stán sé orm agus mé ag dul thairis, agus bhain mé creathadh as an teach nuair a dhún mé mo dhoras de phlab. Chuala mé é ag téaltú aníos chuig an urlár ar a raibh mé, stad, agus imeacht síos arís. Chuir mé chun oibre leis na hullmhóidí láithreach.

"Rinneadh an obair go léir an tráthnóna agus an oíche sin. Agus mé ina mo shuí agus mearbhall orm de bharr na ndrugaí a bhaineann an dath den fhuil, chualathas cnagadh gan sos ag an doras. Stad, chuala mé coiscéimeanna ag imeacht agus ag teacht ar ais arís, agus leanadh den chnagadh. Rinneadh iarracht rud a shá isteach faoin ndoras — páipéar gorm. Bhuail racht feirge mé, d'éirigh mé i mo sheasamh, chuaigh mé anonn chuig an doras agus d'oscail mé de gheit é. 'Anois mar sin?' arsa mise.

"An tiarna talún a bhí ann, agus fógra díshealbhaithe nó a leithéid aige. Shín sé os mo chomhair amach é, chonaic sé rud éigin ait faoi mo lámha, ní foláir, agus d'fhéach sé in airde ar m'aghaidh.

"D'oscail sé a bhéal go mór leathan. Lig sé geonaíl as, lig sé don choinneal agus don fhógra titim as a lámha, agus chuaigh sé síos an dorchla dubh chuig an staighre. Dhún mé an doras, chuir mé faoi ghlas é, agus chuaigh mé anonn chuig an scáthán. Ba ansin a thuig mé údar a sceimhle... Bhí m'aghaidh bán — mar a bheadh aolchloch.

"Ach bhí an rud ar fad uafásach. Ní raibh mé ag súil leis an bhfulaingt. Oíche lán crá, breoiteachta agus fanntaise. Bhí mé diongbháilte, cé go raibh mo chraiceann ar lasadh — bhí mo cholainn uile ar lasadh; ach luigh mé ansin mar a bheadh duine ag saothrú an bháis. Thuig mé don chat ansin agus cúis a geonaíola nó go bhfuair mé an clóraform. Bhí an t-ádh liom go raibh cónaí orm asam féin agus nach raibh éinne sa seomra. Bhí tráthanna ann a raibh mé ag olagón agus ag geonaíl agus ag caint. Ach choinnigh mé leis... Thréig mo chiall mé agus dhúisigh mé go lagbhríoch sa doircheacht.

"Bhí an phian maolaithe. Mheas mé go raibh mé do mo mharú féin agus ba chuma liom. Ní dhéanfaidh mé dearúd choíche ar bhreacadh an lae sin, agus ar an stangadh a baineadh asam nuair a chonaic mé mo lámha mar a bheadh ceo, agus a bheith ag féachaint orthu ag dul i ngléineacht agus i dtanaíocht i rith an lae, nó go raibh mé in ann anord mo sheomra a fheiscint tríothu, in ainneoin caipíní trédhearcacha mo shúl a bheith dúnta agam. Chuaigh mo ghéaga i ngloiníocht, chuaigh na cnámha agus na hartairí i léig agus ó radharc agus ba iad na néaróga beaga bána a chuaigh ó radharc ar deireadh. D'fháisc mé na fiacla agus choinnigh mé mo mhisneach. Ní raibh le feiscint ar deireadh ach barr na n-ingní, mílítheach agus bán, agus smál donn an aigéid ar mo mhéaracha.

"Rinne mé iarracht seasamh. Níorbh fhéidir liom ar dtúis; bhí mé mar a bheadh searrach nua-bheirthe — ghlac mé coiscéimeanna le géaga nárbh fhéidir liom a fheiscint. Bhí mé lag agus an-ocrach. Chuaigh mé anonn chuig an scáthán agus stán mé ar neamhní, cé is moite de lí thanaithe a bhí fós le feiscint laistiar de reitine mo shúl, a bhí chomh doiléir le ceobhrán. Bhí orm breith ar an mbord agus mo bhaithis a bhrú i gcoinne na gloine.

"Ba mhór an iarracht a ghlac sé orm mé féin a tharraingt siar chuig an ngaireas agus an próiseas a chríochnú.

"Chodail mé san athmhaidin, chúb mé an braillín os cionn mo shúl chun an solas a choimeád uathu, agus um meán lae, dhúisigh an cnagadh arís mé. Bhí neart ionam arís. Shuigh mé aniar sa leaba, chuir mé cluas le héisteacht orm féin agus chuala mé cogarnaíl. Léim mé amach ar mo chosa chomh callánach agus arbh fhéidir liom agus thosnaigh mé ag baint na gceangal den ghaireas, agus á scaipeadh ar fud an tseomra ionas nach bhfeicfí a dhealramh. Thosnaigh an cnagadh láithreach agus chuala mé glóracha - an tiarna talún ar dtúis agus ansin beirt eile. D'fhonn am a fháil thug mé freagra orthu. Tháinig mé ar an gceirt agus ar an bpiliúr dofheicthe, d'oscail mé an fhuinneog agus chaith mé amach iad. Agus an fhuinneog á hoscailt, chuala mé tuairt mhór ag an doras. Thug duine ruathar faoi d'fhonn an glas a bhriseadh. Ach chuir na boltaí téagartha a chuir mé air roinnt laethanta roimhe sin stop leis. Baineadh geit asam agus cuireadh fearg orm. Thosnaigh mé ag ballchrith agus ag déanamh rudaí faoi dheithneas.

"Chaith mé páipéir scoite, tuí, páipéir phacála agus mar sin de i lár an urláir agus chas mé air an gás. Tosaíodh ar bhuillí troma a tharraingt ar an ndoras. Níorbh fhéidir liom na lasáin a aimsiú. Bhuail mé buillí láimhe ar an mballa le teann feirge. Chas mé as an gás arís, sheas mé amach an fhuinneog ar an leac, tharraing mé anuas an sais go deas réidh, agus shuigh mé síos, go slán agus go dofheicthe, ach ar ballchrith le fearg, go bhféachfainn ar a dtarlódh. Scoilt siad painéal, agus faoi cheann nóiméid eile bhí na boltaí bainte den doras agus sheas siad sa doras oscailte. An tiarna talún agus a bheirt leas-mhac, ógfhir théagartha um thrí nó ceithre bliana is fiche d'aois, a bhí ann. Laistiar díobh bhí an tseanchailleach thíos staighre ag feamaíl thart.

"Samhlaigh an t-iontas a bhí orthu an seomra a bheith folamh rompu. Rith duine de na hógfhir anonn chuig an bhfuinneog láithreach, d'oscail sé í agus stán sé amach. Bhí a shúile leata agus a aghaidh fhéasógach bhruasach um throigh ó m'aghaidh féin. Bhí leathchuimhneamh agam a ghnúis leibideach a bhualadh, agus tharraing mé siar mo dhorn. Stán sé tríom. Rinne na daoine eile amhlaidh de réir mar a tháinig siad chuige. D'fhéach an seanfhear isteach faoin leaba, agus thug siad go léir fogha faoin gcófra. Rinne siad díospóireacht nach beag faoi as Giúdais agus as Cocnais. Ba é a chinn siad nár fhreagair mé in aon chor iad, gurbh amhlaidh a fuair a samhlaíocht an ceann an fhearr orthu. Mhothaigh mé sásamh mór in ionad na feirge agus mé i mo shuí lasmuigh den fhuinneog ag faire ar an gceathrar sin — óir tháinig an tseanbhean isteach, í ag sracfhéachant uimpi mar a bheadh cat, agus ag iarraidh ceann a dhéanamh den iompar a bhí fúm.

"D'aontaigh an seanfhear, chomh fada agus a d'fhéadfainn a dhéanamh amach óna *patois*, leis an tseanbhean gur beodhioscadh a bhí ar bun agam. D'áitigh na mic as Béarla mungailte gur leictreoir a bhí ionam mar gheall ar na dineamónna agus na radaitheoirí. Bhí imní orthu go léir go dtiocfainn ar ais, cé go bhfuair mé amach ina dhiaidh sin go raibh an doras tosaigh faoi ghlas acu. D'fhéach an tseanbhean isteach sa chófra agus faoin leaba, agus d'fhéach duine de na hógfhir suas an simléar. Tháinig duine de mo chomhlóistéirí, mangaire sráide a chomhroinn an seomra trasna uaim le búistéir, amach ar an léibheann, cuireadh fios air agus d'inis sé rudaí gan dealramh dóibh.

"Rith sé liom, dá bhfaighfeadh duine dea-oilte greim ar na radaitheoirí, go sceithfí an iomad eolais orm, agus tar éis dom faill a fhaire, tháinig mé isteach sa seomra agus chlaon mé ceann de na dineamónna beaga den seastán ar a raibh sé agus rinneadh smidiríní den dá ghaireas. Ansin, agus iad ag iarraidh an tuairt a mhíniú, d'éalaigh mé amach as an seomra agus síos staighre go ciúin.

"Chuaigh mé isteach i gceann de na seomraí suite agus d'fhan mé go dtí gur tháinig siad anuas an staighre, iad fós i mbun argóna agus tuairimíochta, ábhairín den díomá orthu nár tháinig siad ar aon 'uafás', agus mearbhall orthu go léir faoin seasamh dlí a bhí acu. Théaltaigh mé suas an staighre arís ansin le bosca lasán, las mé an carnán páipéir agus bruscair, chuir mé na cathaoireacha agus ábhar na leapa in aice leis, thug mé an gás chomh fada leis i bhfeadán rubair Indiaigh, d'fhág mé slán ag an seomra agus d'imigh mé as den uair dheireanach."

"Chuir tú an teach trí thine!" arsa Ceimp.

"Chuir mé an teach trí thine. Ba é sin an t-aon slí a bhí agam mo shaothar a cheilt — agus bhí sé faoi árachas, ní nach ionadh.

Tharraing mé siar boltaí an dorais tosaigh go ciúin agus chuaigh mé amach ar an tsráid. Bhí mé dofheicthe, agus thosnaigh mé ag fáil tuisceana ar an mbuntáiste ollmhór a thug an dofheictheacht dom. Bhí m'intinn ar maos le pleananna, idir iontach agus alltach, a bhí ar mo chumas a dhéanamh."

CAIBIDIL XXI
AR SHRÁID ÁTH AN DAIMH

"Agus mé ag dul síos staighre den chéad uair, bhí deacracht agam nach raibh mé ag súil leis óir ní fhéadfainn mo chosa a fheiscint; leoga, baineadh tuisle asam faoi dhó, agus bhí úspántacht núíosach ag baint le breith ar bholta an dorais. Nuair nár fhéach mé síos, áfach, d'éirigh liom siúl ar an léibheann sách maith.

"Bhraith mé ar muin na muice. Bhraith mé mar a bheadh fear an amhairc, le maothóirí fuaime ar mo chosa agus éadaí ciúine, i gcathair na ndall. Bhí fonn fíochmhar orm bob a bhualadh ar dhaoine, geit a bhaint astu, baiseog a bhualadh ar dhrom na bhfear, hataí daoine a chaitheamh uathu, agus an buntáiste nach beag a bhí agam a thaispeáint.

"Ach ba ar éigean a bhí mé amuigh ar Shráid Mhór na Portchríche, áfach (bhí an teach lóistín gar do shiopa mór táilliúra ann), nuair a chuala mé callán tuairte agus bualadh go láidir taobh thiar díom mé, agus nuair a thiontaigh mé chonaic mé fear a bhí ag iompar ciseán buidéal sóda agus é ag féachaint ar an ualach agus cuma an iontais air. Cé gur ghortaigh an buille mé, nuair a chonaic mé an t-iontas a bhí air, níorbh fhéidir liom gan scairteadh ag gáire. 'Tá an diabhal sa chiseán,' arsa mise, agus chas mé as a láimh é. Scaoil sé leis agus theilg mé an t-ualach go léir in airde san aer.

"Ach bhí amadán de thiománaí caib, a bhí ina sheasamh lasmuigh de theach tábhairne, agus rinne sé ruathar faoi agus sháigh sé a mhéaracha, a bhí sínte amach roimhe, isteach faoi mo chluais agus gortaíodh go dona mé. Lig mé an t-ualach anuas de phlab ar an dtiománaí caib, agus ansin thuig mé, agus daoine ag liúireach agus ag greadadh cos umam, daoine ag teacht amach as siopaí, feithiclí ag stadadh, thuig mé a raibh déanta agam, agus bhí aiféala orm as mo bhaoithe, chúlaigh mé i gcoinne fuinneog siopa agus bheartaigh mé ar éalú ón gcibeal. Faoi cheann nóiméid bheinn sáinnithe sa slua agus thiocfaí orm go cinnte. Sháigh mé giolla búistéara as an tslí agus ar ámharaí an tsaoil níor thiontaigh sé féachaint cén neamhní a sháigh é, agus theith mé isteach laistigh de chairt ceithre roth an tiománaí caib. Níl aon fhios agam cén toradh a bhí ar chúrsaí. Bhrostaigh sé trasna an bhóthair, nach raibh aon trácht air, agus ba ar éigean a thug mé aon aird ar an dtreo a bhí mé ag dul, toisc faitíos a bheith orm go n-aireofaí mé, agus chríochnaigh mé i measc na droinge tráthnóna a bhí ar Shráid Áth an Daimh.

"Rinne mé iarracht luí isteach le sruth na ndaoine, ach bhí an drong ró-dhubh le daoine, agus i bhfaiteadh na súl bhíothas ag baint na sál díom. Shiúil mé sa gháitéar, rud a ghortaigh mo chosa de bharr ghairbhe an dromchla ann, ach láithreach bonn bhuail fearsaid chab *Hansom* go láidir faoi mo shlinneán mé agus meabhraíodh dom go raibh mé bascatha brúite cheana féin. Thit mé as slí an chaib, sheachain mé coisí ar éigean, agus b'iúd mé laistiar den *Hansom*. Bain smaoineamh sona m'intinn de mo

154

chruachás, agus de réir mar a ghluais an cab leis go malltriallach lean mé é; bhí mé ar ballchrith agus bhí ionadh orm leis an gcorr a tháinig ar an eachtra. Agus ní hamháin ballchrith ach fuarchreathadh. Lá geal i mí Eanáir a bhí ann agus bhí mé lomnocht agus bhí an ciseal caol longair a bhí ar an mbóthar rí-fhuar. Is amaideach liom anois é, ach níor chuimhnigh mé go gcuirfeadh an aimsir isteach orm, cibé trédhearcach nó eile.

"Rith smaoineamh iontach liom ansin. Rith mé amach agus léim mé isteach sa chab. Bhí mé ag creathadh, faiteach, agus smaoiseach agus céad chomharthaí sóirt slaghdáin orm, agus bhí na baill dhubha a bhí ar íochtar mo dhroma ag goilliúint orm, agus thiomáin mé liom ar feadh Shráid Áth an Daimh agus thar Bhóthar Chúirt Bhaile Tota. Bhí an oiread sin de dhifear idir an giúmar a bhí orm an uair sin agus an giúmar a bhí orm agus mé ag teacht amach ón dteach deich nóiméad roimhe sin nárbh fhéidir é a shamhlú. Dofheictheacht, muis! Ba é a bhí ag dó na geirbe agam, conas a d'fhéadfainn na cosa a thabhairt liom ón fhaopach ina raibh mé.

"Chuamar thar Thigh Mudie go malltriallach, agus ghlaoigh bean ard, ag a raibh cúig nó sé leabhar ar a raibh lipéid bhuí, ar an gcab, agus léim mé amach as díreach sular bhraith sí mé, ach ba dhóbair dom tuirlingt sa tslí ar veain an iarnróid. Theith mé liom suas an bóthar chuig Cearnóg Bhlúmboraí, agus é i gceist agam dul ó thuaidh thar an Músaem agus isteach sa cheantar ciúin. Bhí mé préachta leis an bhfuacht faoin am sin, agus chuir aduaine mo cháis isteach orm chomh mór sin go ndearna mé geonaíl agus mé ag rith. Ag coirnéal thuaidh na Cearnóige rith gadhairín bán amach as oifigí Chumann na Cógaisíochta, thug sé fogha fúm agus a shrón le talamh aige.

"Níor thug mé faoi deara roimhe sin é, ach is ionann srón an ghadhair agus súil na hintinne i nduine a bhfuil amharc na súl aige. Airíonn gadhair cumhra an fhir ag gluaiseacht mar a airíonn fir a dhealbh. Thosnaigh sé ag amhastrach agus ag léimint, agus é ag léiriú, dar liom, go raibh a fhios maith aige gurbh ann dom. Thrasnaigh mé Sráid Mhór Ruiséil, agus mé ag tabhairt stracfhéachana thar mo ghualainn, agus lean mé orm ar feadh Sráid Mhic Thaidhg sular thuig mé a raibh romham amach.

"Ansin thug mé callán ceoil faoi deara, agus ar m'fhéachaint ar feadh na sráide dom chonaic mé roinnt daoine ag teacht amach as Cearnóg Ruiséil, iad ag caitheamh léinte dearga agus meirge Arm an tSlánaithe ar foluain acu. A leithéid de dhrong, iad ag liúireach ar an mbóthar agus ag scigireacht ar an gcosán, ní raibh aon dul ann go bhféadfainn sníomh tríothu, agus ó tharla go raibh eagla orm dul siar agus ní b'fhaide ó bhaile arís, rinne mé cinneadh ar ala na huaire go rithfinn suas céimeanna bána an tí a bhí ar aghaidh ráille an mhúsaeim, agus sheas mé ann nó go n-imeodh an slua tharam. Ar ámharaí an tsaoil, stad an gadhar ach ar chuala sé fuaim an bhanna leis, d'fhan sé ar feadh soicind, thiontaigh sé agus rith sé ar ais chuig Cearnóg Bhlúmboraí arís.

"Chugam ansin an bhuíon, iomann éigin faoi 'Cén uair a fheicfimid A aghaidh arís?' á liúireach go híorónta acu agus b'fhada liom go raibh rabharta na ndaoine sin imithe ar feadh an chosáin tharam. "Búm, búm, búm" a rinne athshondas creathach an druma, agus ar ala na huaire níor thug mé faoi deara beirt gharlach a stad ag an ráille in aice liom. 'Féach iad sin,' arsa duine díobh. 'Cad iad?' arsa an duine eile díobh. 'Dheara — rian na gcos — cosnocht. Mar a dhéanfadh duine sa láib.'

"D'fhéach mé síos agus chonaic mé go raibh na garlaigh ina seasamh agus ag féachaint ar rian láibe mo chos ar na céimeanna nua-bhánaithe. Bhulcáil agus ghuailleáil an drong iad, ach bhí iontas an domhain orthu lena bhfaca siad. 'Búm, búm, búm, cén uair, búm, a fheicimid, búm, A aghaidh, búm, búm.' 'Chuaigh fear cosnocht suas na céimeanna sin nó ní lá fós é,' arsa duine acu. 'Agus níor tháinig sé anuas arís. Agus bhí a chos ag cur fola.'

"Bhí formhór an tslua imithe tharainn faoin am sin. 'Féach ansin, a Thaidhg,' arsa an duine ab óige de na bleachtairí de ghlór géar an iontais agus shín sé a mhéar díreach i dtreo mo chos. D'fhéach mé síos agus chonaic mé láithreach mar a bheadh imlíne mo chos sna scuaideanna láibe. Ní raibh lúth géag ionam ar feadh tamaillín.

"'Dheara, sin rum,' arsa an té ba shine díobh. 'Rum doirte! Tá sé mar a bheadh samhail coise, nach bhfuil?' Thóg sé céim chun tosaigh agus shín sé a lámh amach. Stad fear féachaint a raibh ar siúl aige, agus ansin stad cailín. Faoi cheann soicind eile bheadh a lámh leagtha aige orm. Ansin, thuig mé a raibh le déanamh. Ghlac mé coiscéim, sheas an buachaill siar agus lig sé uaill as, agus i bhfaiteadh na súl léim mé isteach i bpóirseáid an chéad tí eile. Ach bhí an buachaill ba lú acu sách géarshúileach chun an ghluaiseacht a leanúint, agus sula raibh mé imithe síos na céimeanna agus amach ar an gcosán, bhí sé tagtha chuige féin ón stangadh a baineadh as agus thosnaigh sé ag béicíl os ard 'go ndeachaigh na cosa thar an mballa.'

"Rith siad timpeall agus chonaic siad rianta nua mo chos ag taibhsiú ar an gcéim íochtair agus ar an gcosán. 'Cad tá ar bun?' arsa duine éigin. 'Cosa! Féach! Cosa ag rith!'

"Bhí gach duine a bhí ar an mbóthar, seachas an triúr a bhí sna sála orm, ag leanúint Arm an tSlánaithe, agus ní hamháin gur chuir sin bac orm ach chuir sé bac orthusan chomh maith. Bhí rabharta iontais agus ceistiúcháin ann. D'éirigh liom streachailt tríd an slua ach ógfhear amháin a leagan as mo shlí agus i bhfaiteadh na súl bhí mé ag imeacht de ruathar timpeall Chearnóg Ruiséil, agus seisear nó seachtar ag leanúint rianta mo chos. Ní raibh aon uain agam an scéal a mhíniú, nó bheadh an slua go léir sna sála orm.

"Chuaigh mé timpeall an choirnéil faoi thrí, thrasnaigh mé an bóthar faoi thrí agus tháinig mé ar ais ar rianta mo chos, agus ansin, de réir mar a théigh agus mar a thriomaigh mo chosa, thosnaigh na rianta fliucha ag dul in éag. I ndeireadh na dála bhí deis agam mo chosa a ghlanadh le mo lámha, agus d'éirigh liom éalú uathu. Ba é an radharc deiridh a chonaic mé den tóraíocht buíon bheag dháréag agus iad ag scrúdú, faoi iontas, lorg coise a bhí ag triomú go mall, lorg a d'fhág mé i mo dhiaidh tar éis dom seasamh i lochán ar Chearnóg Bhaile Thaibhe, lorg a bhí chomh scoite amach agus chomh domhínithe is a bhí an lorg sin a d'aimsigh Crúsó.

"Théigh an reathaíocht de bheagán mé, agus lean mé orm agus breis misnigh agam trí mhogalra sráideanna beaga. D'éirigh mo dhrom an-righin agus tinn, bhí mo chéislíní tinn tar éis don tiománaí caib a mbrú lena mhéaracha, agus scríob sé an craiceann ar mo mhuineál lena ingní; bhí mo chosa rí-thinn agus bhí mé bacach toisc gearradh beag faoi leathchois. Tar éis tamaill chonaic mé fear dall ag teacht i mo choinne, agus theith mé liom go tuisleach óir bhí eagla orm go dtabharfadh sé faoi deara mé. Uair nó dhó bhuail mé faoi dhaoine de thaisme agus bhain mé stangadh astu, go háirithe agus eascainí le clos ina gcluasa acu gan mhíniú. Ansin mhothaigh mé rud éigin a theagmhaigh mo leiceann go ciúin, agus thit brat éadrom sneachta ar fud na Cearnóige ina chalóga malltitime. Bhí slaghdán orm, agus in ainneoin mo chuid iarrachtaí níorbh fhéidir liom gan corrshraoth a ligean. Agus le gach gadhar dá bhfaca mé, iad ag smúracht agus ag díriú a srón liom, cuireadh scaoll orm.

"Ansin thosnaigh fir agus buachaillí ag rith, duine amháin ar dtúis agus a thuilleadh acu ansin agus iad ag béiceadh. Tine a bhí ann. Rith siad i dtreo mo theach lóistín, agus nuair a d'fhéach mé síos an tsráid chonaic mé meall deataigh dhuibh san aer os cionn na ndíonta agus na sreang teileafóin. An teach aíochta ina raibh mé ar lóistín a bhí trí thine; bhí mo chuid éadaí, mo ghaireas, mo chuid acmhainní go léir, seachas an seicleabhar agus na trí leabhar nótaí a bhí romham ar Shráid Mhór na Portchríche, fós ann. Trí thine! Níor fhág mé caoi teite ná tormais agam féin! Bhí an áit ina bladhm."

Stad an Fear Dofheicthe den chaint agus rinne sé a mharana. Thug Ceimp sracfhéachant neirbhíseach amach an fhuinneog. "Sea," ar seisean. "Abair leat."

CAIBIDIL XXII
SAN IOMPÓIRIAM

"Mí Eanáir seo caite mar sin, agus céad chalóga an tsneachta ag titim umam — agus dá bhfanfadh sé ar an dtalamh sceithfeadh sé orm! — bhí mé lag tnáite, fuar, i bpian, dearóil, ach leathmhisneach orm fós as mo riocht dofheicthe, chuir mé tús leis an saol nua seo agus rún daingean agam coinneáil leis. Ní raibh foscadh agam, ná gaireas, ná daonnaí sa saol a bhféadfainn rún a ligean leo. Dá n-insínn mo rún bheadh sceite orm — dhéanfaí seó bóthair agus alltachta díom. Mar sin féin, bhí leathfhonn orm duine éigin a stopadh agus cúnamh a lorg. Ach bhí a fhios maith agam an scaoll agus an sceimhle a bheadh ar dhuine dá ndéanfainn amhlaidh. Ní dhearna mé plean ar bith ar an tsráid. Ba é an t-aon sprioc a bhí agam foscadh a fháil ón sneachta, mé féin a chlúdach agus a théamh; ansin, d'fhéadfainn plean a dhéanamh. Ach fiú domsa, Fear Dofheicthe, bhí sraitheanna tithe Londan faoi laiste, faoi bhacainn agus faoi ghlas dosháraithe.

"Ní fhéadfainn ach aon ní follasach amháin a fheiscint — fuacht gan foscadh agus cruatan na stoirme sneachta agus na hoíche a bhí romham.

"Agus ansin rith smaoineamh iontach liom. D'iompaigh mé síos ceann de na bóithre a shíneann ó Shráid an Ghabhair go Bóthar Chúirt Bhaile Tota, agus b'iúd mé lasmuigh de Omniums, ionad mór mar ar féidir gach ní a cheannach — tá a fhios agat é: feoil, earraí grósaeireachta, línéadach, troscán, éadaí,

161

péintéireachtaí ola fiú — tiomsú mór siopaí seachas aon siopa mór amháin. Mheas mé go mbeadh na doirse ar oscailt, ach bhí siad go léir dúnta, agus fad a bhí mé i mo sheasamh sa bhealach isteach stad carráiste lasmuigh, agus d'oscail fear a raibh éide air — tá a fhios agat an saghas duine a mbíonn 'Omnium' ar a chaipín — an doras. Bheartaigh mé ar dhul isteach, shiúil mé síos an siopa — rannáin siopa a bhí ann mar a raibh ribíní agus lámhainní agus stocaí agus a leithéidí á ndíol — agus tháinig mé ar áit ní ba fhairsinge mar a raibh ciseáin phicnice agus troscán caolaigh ar díol.

"Níor bhraith mé sábháilte ann, áfach; bhí daoine ag imeacht anonn is anall, agus lean mé orm ag póirseáil nó gur tháinig mé ar rannán ar urlár uachtarach ina raibh leapacha, agus d'aimsigh mé áit i measc carn mór tochtanna fillte agus lig mé mo scíth. Bhí an áit ar lasadh cheana féin agus sách te, agus bheartaigh mé ar fhanacht mar a raibh mé, agus súil ghéar á coinneáil agam ar dhá bhuíon siopadóirí agus freastalaithe nó trí a bhí ag siúl ar fud na háite go dtí gur fógraíodh am dúnta an tsiopa. Bheinn ábalta ansin, dar liom, bia agus éadaí a ghoid, agus póirseáil tríd, faoi bhréagriocht, agus na hacmhainní a scrúdú agus néal codlata a dhéanamh, b'fhéidir. Plean fónta a bhí ann, dar liom. Bhí sé i gceist agam éadaí a aimsiú a dhéanfadh fíor chlúdaithe ach inchreidte díom féin, airgead a fháil, agus ansin mo chuid leabhar agus beartán a fháil san áit a raibh siad le fail agam, lóistín a fháil áit éigin agus pleananna a chur le chéile chun go bhféadfainn lánleas a bhaint as na buntáistí (dar liom) a thug mo dhofheictheacht dom i gcomparáid le fir eile.

"Níorbh fhada liom am dúnta. Ní dóigh liom go raibh ní b'fhaide ná uair an chloig ann tar éis dom luí ar na tochtanna sular thug mé faoi deara go rabhthas ag dúnadh na ndallóg, agus go raibh custaiméirí á dtreorú amach an doras. Ansin thosnaigh roinnt ógfhear bríomhar ag cur oird agus eagair go han-éifeachtach ar na hearraí a bhí as cor sa siopa. Tháinig mé amach as mo phróca agus na sluaite laghdaithe, agus théaltaigh mé liom go codanna ní ba chiúine den siopa. Chuir sé ionadh mór orm féachaint ar a thapúla a thug na hógfhir agus na hógmhná leo na hearraí a bhí ar díol i rith an lae. Bhíothas ag baint anuas boscaí na n-earraí uile, na fabraicí a bhí ar crochadh, na triopaill lása, na boscaí milseán i rannán na grósaeireachta, taispeántais earraí seo agus earraí siúd, á bhfilleadh, á gcur isteach i gceapadáin néata, agus á gcur i leataobh agus leagadh braillíní garbhéadaigh anuas orthu. Ar deireadh thiar thall, iompaíodh na cathaoireacha uile bunoscionn ar na cuntair. Níor thúisce a chuir gach duine díobh an obair i gcrích nó gur thug sé nó sí aghaidh go pras ar an ndoras agus é nó í ní ba bhríomhaire ná freastalaí ar bith dá bhfaca mé riamh. Ansin, tháinig go leor ógánach agus min sáibh á scaipeadh acu agus buicéid agus scuaba ar iompar acu. Bhí orm léimint as an tslí, agus mar a tharla, caitheadh an mhin sáibh i gcoinne mo rúitín. Ar feadh tamaillín, agus mé ag fánaíocht liom trí rannáin dhorcha, chuala mé na scuaba ag scuabadh. I ndeireadh na dála, um uair an chloig nó ní ba mhó tar éis am dúnta an tsiopa, chuala mé na doirse á nglasáil. Thit an áit dá tost, agus b'iúd mé ag imeacht ar fán ar fud na siopaí, na ngailearaithe, agus na seósheomraí fairsinge agus maisithe. Bhí an áit rí-chalm; in áit amháin is cuimhin liom siúl thar cheann de na bealaí isteach ó Bhóthar Chúirt Bhaile Tota agus éisteacht le cnagaireacht shálaí bróg na gcoisithe lasmuigh.

"Thug mé cuairt ar an gcéad dul síos ar an áit a bhfaca mé stocaí agus lámhainní ar díol. Bhí sé dorcha, agus chuaigh sé dian orm teacht ar lasáin, ach tháinig mé orthu sa deireadh i dtarraiceán i ndeasc bheag airgid. Ansin bhí orm teacht ar choinneal. Bhí orm fillteáin a tharraingt anuas agus roinnt boscaí agus tarraiceán a ransú, ach i ndeireadh thiar thall tháinig mé ar na coinnle; brístí olla uain agus veisteanna olla uain a bhí scríofa ar an mbosca. Ansin d'aimsigh mé stocaí, pluid thiubh, agus ansin chuaigh mé go rannán na n-éadaí agus fuair mé treabhsar, seaicéad, forchóta agus hata — hata mar a bheadh ag cléireach, a raibh an duilleog casta síos air. Mhothaigh mé daonna arís, agus ansin chuimhnigh mé ar bhia a fháil.

"Bhí rannán bia in airde staighre agus fuair mé feoil fhuar ann. Bhí caife fós sa chruiscín, agus las mé an gás agus théigh mé arís é, agus d'éirigh go maith liom, tríd is tríd. Chuaigh mé sa tóir ar bhlaincéidí ansin — bhí orm glacadh le cuilteanna clúimh mhín — ansin tháinig mé ar rannán grósaeireachta mar a raibh go leor seacláide agus torthaí siúcraithe — agus burgúin gheal. Bhí rannán bréagán lena ais sin, agus rith smaoineamh iontach liom. Tháinig mé ar roinnt srón bréige, agus chuimhnigh mé ar spéaclaí dubha a aimsiú. Ach ní raibh rannán spéaclaí ar bith in Omniums. Bhí an tsrón ag dó na geirbe agam roimhe sin — chuimhnigh mé ar a péinteáil. Ach chuir an tsrón bhréige ag machnamh mé ar fholt bréige gruaige, ar aghaidh fidil agus a leithéidí. I ndeireadh na dála, chuaigh mé a chodladh ar charn cuilteanna clúimh mhín, a bhí te teolaí agus an-chompordach.

"Na smaointe a rith trí m'intinn sular thit mé a chodladh, ba iadsan na smaointe ba dheise a bhí agam ó tharla an t-athrú. Bhí mé sóch compordach agus bhí m'intinn ar a sáimhín só. Mheas mé go mbeinn in ann éalú amach i ngan fhios ar maidin agus mo chuid éadaí orm, m'aghaidh clúdaithe le scaif bhán a thóg mé, a cheannaigh mé leis an airgead a thóg mé, spéaclaí agus mar sin de, agus mé faoi bhréagriocht iomlán. Thosnaigh mé ag aislingeacht ar na heachtraí iontacha a tharla le roinnt laethanta roimhe sin. Chonaic mé an Giúdach gránna de thiarna talún ag tabhairt amach os ard ina sheomra; chonaic mé a bheirt mhac ag déanamh iontais, agus aghaidh chranraithe na seanmhná rocaí agus í ag lorg a cait. Mhothaigh mé an mothú aisteach a bhain le féachaint ar an éadach ag imeacht ó radharc, agus tháinig mé anall chuig leitir ghaofar an chnoic agus shamhlaigh mé an seanmhinistir ag mungailt na bhfocal 'Ithir go ithir, luaith go luaith, cré go cré,' ag uaigh oscailte m'athar.

"'Tusa freisin,' arsa glór, agus i bhfaiteadh na súl bhíothas do mo bhrú i dtreo na huaighe. Bhí mé ag streachailt, ag scréachadh, ag impí ar lucht méala, ach lean siad orthu ag éisteacht leis an searmanas; b'amhlaidh don seanmhinistir nár éirigh as an ndordán ná as an smaoisíl i rith an deasghnátha. Thuig mé go raibh mé dofheicthe agus dochloiste, go raibh greim ag fórsaí dochloíte orm. Streachailt in aisce a bhí ann; brúdh thar bhruach na huaighe mé agus thit mé de phlab ar an gcónra a raibh torann folamh uaidh, agus ansin tháinig an gairbhéal anuas orm ina shluaistí. Níor thug éinne aon aird orm, níorbh eol d'éinne mo bheith ann. Bhí mé sna tríthí ag streachailt agus dhúisigh mé.

"Breacadh an lá go leamh i Londain, agus bhí an áit lán de sholas fuarliath a tháinig isteach um imeall na ndallóg. Shuigh mé aniar, agus ar feadh tamaillín níorbh fhéidir liom a dhéanamh amach cá raibh an t-árasán fairsing seo, ina raibh cuntair, carnáin ábhar fillte, cairn cuilteanna agus cúisíní agus cuaillí iarainn. Ansin, agus cuimhní ag teacht chugam arís, chuala mé glórtha i mbun allagair.

"Ansin, ní ba shia síos san áit, i rannán éigin ba ghile inar osclaíodh na dallóga cheana féin, chonaic mé beirt fhear ag teacht i mo threo. Léim mé ar mo chosa, d'fhéach mé umam féachaint an bhfaighinn bealach éalaithe, agus fad a bhí mé á dhéanamh sin chuala siad torann mo ghluaiseachta. Is dócha nach bhfaca siad ach deilbh ag gluaiseacht go ciúin agus go gasta. 'Cé atá ann?' arsa duine acu, agus 'Stad ansin!' arsa an duine de bhéic. Rith mé timpeall an choirnéil agus bhuail mé — deilbh gan aghaidh, cuimhnigh! — faoi spruicearlach um chúig bliana déag d'aois. Lig sé liú as agus leag mé é, rith mé thairis, chuaigh mé timpeall coirnéil eile, agus léim mé laistiar de chuntar le teann inspioráide. Faoi cheann nóiméid eile chuala mé coiscéimeanna ag dul tharam agus glórtha ag béiceadh, 'Gach duine chuig na doirse!' iad ag fiafraí a raibh 'ar siúl' agus ag cur comhairle ar a chéile conas breith orm.

"Agus mé i mo luí ar an dtalamh, bhí mo chroí i mo bhéal. Ach — ar aiteas an tsaoil — níor rith sé liom ar ala na huaire mo chuid éadaí a bhaint díom, rud ba chóir dom a dhéanamh. Bhí mé meáite ar éalú uathu, is dócha, agus b'in uile a bhí ag déanamh tinnis dom. Agus síos ar feadh na gcuntar ligeadh liú, 'Anseo atá sé!'

"Léim mé ar mo chosa, bhain mé cathaoir den chuntar agus chuir mé ag guairneán í i dtreo an amadáin a lig an liú, thiontaigh mé ar mo shála, bhuail mé faoi amadán eile timpeall an choirnéil, ba dhóbair dom a leagan agus rith mé in airde staighre. D'fhan sé ar a chosa, lig sé liú fiaigh as, agus suas an staighre leis sna sála orm. Ar feadh an staighre suas bhí an iliomad potaí gealdaite — cad a thugtar orthu?"

"Potaí ealaíne," arsa Ceimp.

"Sin iad iad! Potaí ealaíne. Thiontaigh mé ag an gcéim ab airde, rug mé ar cheann díobh agus rinne mé smidiríní de ar a chloigeann amaideach agus é ag tabhairt fúm. Cuireadh go leor potaí ar bóróiricín síos an staighre, agus chuala mé béiceadh agus coiscéimeanna ar fud an bhaill. Thug mé ruathar faoi áit an bhia, agus bhí fear ann a raibh éadaí bána air, mar bheadh cócaire, agus tháinig sé sa tóir orm. Thóg mé casadh amháin eile, agus b'iúd mé i measc lampaí agus earraí iarainn. Chuaigh mé laistiar den chuntar, agus d'fhan mé ar an gcócaire, agus ar a theacht isteach dó de ruathar ar thús cadhnaíochta, tharraing mé buille de lampa air. Thit sé ar fhleasc a dhroma, agus chrom mé síos taobh thiar den chuntar agus thosnaigh mé ag baint díom chomh tapaidh agus arbh fhéidir liom. Bhí an cóta, an seaicéad, an treabhsar agus na bróga go breá, ach an veist olla uain, bhí sé chomh teann le craiceann. Chuala mé a thuilleadh fear ag teacht, bhí an cócaire ina luí go ciúin ar an dtaobh eile den chuntar, gan aithne nó gan urlabhra le teann sceimhle, agus bhí orm teitheadh liom arís mar a bheadh coinín a gcuirfí an ruaig air as carnán adhmaid.

"'An treo seo, a phóilín!' a chuala mé duine a rá de bhéic. Bhí mé i rannán na leapacha arís, agus i measc iliomad vardrús. Chuaigh mé isteach eatarthu, luigh mé síos, bhain mé díom an veist tar éis mórán lúbarnaíola, agus sheas mé in airde i m'fhear saor arís, bhí gearranáil orm agus faitíos orm agus an póilín agus triúr fear siopa ag teacht timpeall an choirnéil. Thug siad fogha faoin veist agus faoin mbríste, agus rug siad greim ar an dtreabhsar. 'Tá na nithe a ghoid sé á gcaitheamh uaidh,' arsa duine de na hógfhir. 'Ní foláir nó go bhfuil sé áit éigin anseo.'

"Ach níor tháinig siad orm mar sin féin.

"Sheas mé ann ar feadh tamaill ag faire orthu do mo lorg agus ag eascainí toisc gur chaill mé mo chuid éadaí. Chuaigh mé isteach sa rannán bia ansin agus bhí bolgam bainne agam, agus shuigh mé síos cois tine chun mo mharana a dhéanamh ar mo chás.

"Faoi cheann tamaillín tháinig beirt fhreastalaithe isteach agus thosnaigh siad ag caint ar chúrsaí gnó mar a bheadh amadáin.   Chuala mé scéal chailleach an uafáis faoi na rudaí ainnise a rinne mé, agus tuairimíocht faoin áit a raibh mé. Thosnaigh mé ag scéiméireacht arís. Ba é an deacracht ba mhó a bhain leis an áit, go háirithe anois agus an t-aláram ar siúl, aon chreach in aon chor a thabhairt amach as. Chuaigh mé síos isteach sa trádstóras féachaint an raibh aon seans ann go bhféadfainn beart a phacáil agus seoladh a chur air, ach níorbh fhéidir liom bun ná barr a dhéanamh den chóras seiceála. Um a haon déag a chlog, agus an sneachta leáite agus an lá ní ba bhréatha agus ní ba theo ná an lá roimhe sin, bheartaigh mé nach ndéanfainn aon mhaith san iompóiriam, agus chuaigh mé amach arís, agus díomá orm faoin easpa ratha a bhí orm agus gan plean dá laghad agam."

CAIBIDIL XXIII
AR LÁNA DRÚRAÍ

"Ach tuigeann tú anois," arsa an Fear Dofheicthe, "míbhuntáiste iomlán mo reachta. Bhí mé gan foscadh — gan chlúdach — dá gcuirfinn éadaí orm chaillfinn mo bhuntáiste, bheinn i mo neach aduain uafásach. Bhí mé ag troscadh; óir dá n-ithinn, bheadh an t-ábhar le feiscint go déistineach istigh ionam."

"Níor chuimhnigh mé air sin," arsa Ceimp.

"Ná mise. Agus thug an sneachta foláireamh dom faoi chontúirtí eile. Ní fhéadfainn dul amach sa sneachta — luífeadh sé orm agus bheinn le feiscint. B'amhlaidh an scéal leis an mbáisteach; bheadh imlíne uisciúil glioscarnach d'fhear le feiscint — mar a bheadh bolgán. Agus maidir le ceo — bheinn le feiscint, ar éigean, i mo shamhail bháite dhaonna. Anuas air sin, nuair a théinn amach — in aer Londan — chruinníodh an láib ar mo rúitíní, agus smúit agus deannach ar mo chraiceann. N'fheadar cén fhaid a bheadh ann sula mbeinn le feiscint dá bharr sin freisin. Ach bhí a fhios maith agam nach mbeadh sé rófhada.

"Ní i Londain pé scéal é.

"Chuaigh mé isteach sna slumaí i dtreo Shráid Mhór na Portchríche, agus bhí mé ag ceann na sráide ar a raibh mo theach lóistín. Ní dheachaigh mé an treo sin, óir bhí an slua leathshlí síos ann trasna ón bhfothrach tí a dhóigh mé agus a bhí fós ag cur deataigh uaidh. Teacht ar éadaí an phráinn ba mhó a bhí ann. Ní raibh tuairim agam cén réiteach a bhí ar m'aghaidh. Ansin chonaic mé ceann de na siopaí beaga ilghnéitheacha sin — nuacht, milseáin, bréagáin, stáiseanóireacht, giúirléidí na Nollag, agus mar sin de — raidhse aghaidheanna fidil agus srón. Thuig mé go raibh fuascailt na faidhbe agam. Chonaic mé an chonair romham. Thiontaigh mé ar mo shála, agus plean cinnte agam, agus d'imigh mé liom — timpeallach chun sráideanna a mbeadh daoine orthu a sheachtaint — i dtreo na gcúlsráideanna ar an dtaobh ó thuaidh den Trá; óir chuimhnigh mé, cé nach raibh a fhios agam go beacht, go raibh siopaí ag lucht déanta cultacha amharclannaíochta sa cheantar sin.

"Bhí an aimsir glas, agus bhí gaoth fheanntach ag séideadh síos na sráideanna a shín ó thuaidh. Shiúil mé go mear ionas nach rachadh éinne amach tharam. Bhí gach crosbhóthar contúirteach agus níor mhór faire go cúramach ar gach duine. Agus mé ar tí dul thar fhear amháin ar bharr Shráid Átha Bede, thiontaigh sé de gheit agus bhuail sé fúm, rud a chuir amach ar an mbóthar mé agus ba dhóbair dom titim faoi roth *Hansom* a bhí ag dul thar bráid. Mheas lucht na gcab nárbh fholáir gur bhuail stróc éigin é. Chuir sé sin isteach orm chomh mór sin go ndeachaigh mé isteach i Margadh Ghairdín an Chlochair agus shuigh mé síos ar feadh tamaill i gcúinne ciúin in aice le seastán sailchuach agus mé ag cneadach agus ar ballchrith. Bhí slaghdán eile tagtha orm, agus bhí orm imeacht tar éis tamaill ar eagla go dtarraingeodh mo chuid sraothartaí aird orm.

"I ndeireadh na dála, bhain mé cuspóir mo thurais amach, siopa beag salach a bhí foirgthe le cuileoga, gar do Lána Drúraí, ag a raibh fuinneog a bhí lán de róbaí tinsil, de sheoda bréige, de fholtanna bréige, de shlipéirí, de dhomanónna agus de ghrianghraif amharclainne. Siopa seanfhaiseanta íseal dorcha a bhí ann, agus bhí an teach ceithre urlár os a chionn in airde dorcha agus dearóil. D'fhéach mé isteach an fhuinneog agus nuair nach bhfaca mé éinne laistigh, chuaigh mé isteach. Nuair a d'oscail mé an doras thosnaigh cloigín ag clingireacht. D'fhág mé ar oscailt é, agus shiúil mé timpeall ar sheastán folamh cultacha, isteach i gcúinne laistiar de ghloine *cheval*. Níor tháinig éinne in aice liom ar feadh nóiméid nó mar sin. Ansin chuala mé coiscéimeanna troma ag teacht trasna seomra, agus chonaic mé fear thíos faoin siopa.

"Bhí mo chuid pleananna in ord agus in eagar agam. Bhí sé i gceist agam mo bhealach a dhéanamh isteach sa teach, téaltú in airde staighre, faill a fhaire, agus nuair nach mbeadh éinne ann, folt bréige, aghaidh fidil, spéaclaí agus culaith a aimsiú agus dul amach sa saol, i mo dheilbh ghránna ach sách inchreidte mar sin féin. Agus d'fhéadfainn aon airgead a bheadh ar fáil sa teach a ghoid, gan amhras.

"An fear a tháinig isteach sa siopa, ba dhuine íseal, cam, cruiteach é ag a raibh malaí púiceacha, géaga fada agus cosa gairide boghacha. Ba chosúil gur chuir mé isteach ar a bhéile. Stán sé ar fud an tsiopa agus é ag súil le duine éigin a fheiscint. Bhí ionadh air ar dtúis agus ansin fearg, nuair ba dhóigh leis an siopa a bheith folamh. 'Fán fada ar na buachaillí!' ar seisean. Thosnaigh sé ag stánadh suas síos an tsráid. Tháinig sé isteach arís faoi cheann nóiméid, chiceáil sé an doras go cantalach lena chois, agus chuaigh sé ar ais isteach doras an tí agus é ag caint faoina fhiacla.

"Thosnaigh mé ag dul ina dhiaidh agus nuair a chuala sé torann mo ghluaiseachta, stad sé. Stad mise leis, agus ionadh orm a ghéire a bhí a chluas. Phlab sé doras an tí i m'aghaidh.

"Sheas mé ansin idir dhá cheann na meá. Chuala mé a choiscéimeanna meara ag filleadh arís agus osclaíodh an doras. Sheas sé ann agus é ag faire ar fud an tsiopa mar a bheadh duine nach raibh ar a shuaimhneas fós. Ansin, agus é ag caint faoina fhiacla, scrúdaigh sé an áit laistiar den chuntar agus d'fhéach sé laistiar de dhaingneáin. Sheas sé ann ansin agus é in amhras. D'fhág sé doras an tí ar oscailt agus théaltaigh mé isteach sa seomra laistigh.

"Seomra beag aisteach a bhí ann, gan mórán troscáin ann ach roinnt aghaidheanna fidil móra sa chúinne. Bhí a bhricfeasta neamh-ite ar an mbord, agus ba mhór an crá é boladh an chaife a fháil, a Cheimp, agus seasamh ansin ag faire air agus é ag teacht isteach agus ag ithe a bhéile. Chuir a bhéasa boird isteach orm. Bhí trí dhoras sa seomra beag sin, ceann suas staighre agus ceann síos staighre, ach bhí siad go léir dúnta. Níorbh fhéidir liom éalú ón seomra agus é ann; ba ar éigean a bhí mé in ann bogadh toisc a íogaire a bhí a chéadfaí, agus bhraith mé séideán gaoithe ar mo dhrom. D'éirigh liom guaim a chur ar shraoth díreach in am faoi dhó.

"Bhí caighdeán iontach seo mo mhothúchán idir aisteach agus nuálach, ach ina dhiaidh sin agus uile bhí lagthuirse agus fearg orm i bhfad sular chríochnaigh sé a bhéile. Ach i ndeireadh thiar thall d'éirigh sé agus chuir sé na gréithre go léir ar an dtráidire dubh stáin ar a raibh an taephota, agus bhailigh sé na grabhróga aráin ar cheirt smálta de dhath an mhustaird, agus thug sé gach rud leis. Níorbh fhéidir leis an ndoras a dhúnadh ina dhiaidh agus a dhá láimh lán aige — mar a dhéanfadh sé; Ní fhaca mé a leithéid de dhuine riamh maidir le doirse a dhúnadh — agus lean mé isteach i gcistin agus i gcúlchistin an-salach faoi thalamh é. Bhí orm féachaint air agus é ag tosnú ar na gréithre a ní, agus ansin, nuair nach bhfaca mé aon chúis mhaith dom a bheith thíos ansin, agus mo chosa a bheith fuar ar leaca an urláir, chuaigh mé ar ais in airde staighre agus shuigh mé síos ina chathaoir cois na tine. Bhí an tine ag ísliú, agus gan chuimhneamh gan cháiréis, chuir mé beagán guail ar an dtine. Tháinig sé in airde staighre láithreach ach ar chuala sé an torann agus sheas sé sa seomra ag stánadh. Thug sé sracfhéachant ar fud an tseomra agus bhí sé i ngaireacht ribe do theagmháil le m'éadan. Tar éis an scrúdúcháin sin, fiú, ní raibh cuma na sástachta air. Stad sé i ngach doras agus d'fhéach sé laistiar de sular imigh sé leis.

"D'fhan mé sa pharlús beag ar feadh tamaill fhada, agus i ndeireadh na dála tháinig sé aníos agus d'oscail mé an doras suas staighre. Ba ar éigean a d'éirigh liom dul thairis.

"Stad sé de gheit ar an staighre agus ba dhóbair dom bualadh faoina dhrom. Sheas sé ann agus é ag féachaint isteach i

174

m'aghaidh agus ag éisteacht. 'Thabharfainn an leabhar,' ar seisean. Tharraing a lámh fhada ghruagach a liopa íochtair. Chaith sé súil síos suas an staighre. Lig sé cnead as agus lean sé air in airde.

"Bhí a lámh ar hanla dorais, agus stad sé arís agus an chuma mhearathalach fheargach chéanna ar a aghaidh. Bhí sé ag cloisteáil na bhfuaimeanna ba lú gluaiseacht uime. Ní foláir nó go raibh éisteacht na muice bradaí aige. Tháinig tocht feirge air go hobann. 'Má tá duine nó deoraí sa teach seo—' ar seisean de bhéic agus é ag móidiú agus d'fhág sé an bhagairt gan chríoch. Chuir sé a lámh ina phóca, níor aimsigh sé a raibh uaidh, agus chuaigh sé tharam de ruathar callánach agus síos staighre leis go sotalach. Ach níor lean mé é. Shuigh mé ag barr an staighre nó gur fhill sé.

"Tháinig sé ar ais aníos láithreach, agus é fós ag caint faoina fhiacla. D'oscail sé doras an tseomra, agus sularbh fhéidir liom dul isteach, dhún sé de phlab i m'aghaidh é.

"Bheartaigh mé ar an dteach a iniúchadh, agus chaith mé roinnt ama á dhéanamh sin chomh ciúin agus arbh fhéidir liom. Bhí an teach an-sean agus seanchaite, bhí sé chomh tais sin go raibh an páipéar ag titim den bhalla sna háiléir, agus bhí se foirgthe le francaigh. Bhí cuid de hanlaí na ndoirse righin agus b'eagal liom a gcasadh. Go leor de na seomraí ar éirigh liom dul isteach iontu, ní raibh troscán ar bith iontu, agus bhí giúirléidí amharclannaíochta, a ceannaíodh go hathlámhach, dar liom, ón gcuma a bhí orthu, scaipthe ar fud seomraí eile. I seomra amháin le hais a sheomra féin tháinig mé ar shean-éadaí. Thosnaigh mé ag cartadh i measc na n-éadaí, agus le teann díocais rinne mé dearúd ar a ghéire a bhí a chluasa. Chuala mé coiscéim théaltaitheach agus ar m'fhéachaint in airde dom, chonaic mé é agus é ag gliúcaíocht ar an gcarn éadaí agus gunnán seanfhaiseanta ina láimh aige. Sheas mé go socair agus é ag faire go béal-oscailte agus go hamhrasach uime. 'Ní foláir nó gurbh ise a bhí ann,' ar seisean go mall. 'Fán fada uirthi!'

"Dhún sé an doras go ciúin, agus chuala mé an eochair á casadh ann láithreach bonn. Ansin chúlaigh na coiscéimeanna. Thuig mé go hobann go raibh mé faoi ghlas sa seomra. Níorbh eol dom ar feadh nóiméid cad ba chóir dom a dhéanamh. Shiúil mé ón ndoras chuig an bhfuinneog agus ar ais, agus mé ag tochas mo chinn. Tháinig racht feirge orm. Ach bheartaigh mé ar na héadaí a iniúchadh arís sula ndéanfainn aon ní eile, agus leag mé carn anuas den tseilf uachtair ar mo chéad iarracht. Thug sé sin ar ais é agus é ní ba dhiongbháilte ná riamh. Theagmhaigh sé dom an uair sin, léim sé siar i leith a chúil agus iontas air, agus sheas sé i lár an tseomra agus mearbhall air.

"Cheap sé a shuaimhneas de bheagán. 'Francaigh,' ar seisean faoina fhiacla, agus a mhéaracha ar a bheola aige. Ba léir go raibh sé beagán sceimhlithe. Théaltaigh mé amach go ciúin as an seomra, ach rinne clár adhmaid gíoscán. Leis sin, thosnaigh an bobarún ag dul ar fud an tí agus an gunnán ina láimh aige agus é ag cur seomra i ndiaidh seomra faoi ghlas agus ag cur na n-eochracha ina phócaí. Nuair a thuig mé a raibh ar bun aige, tháinig racht feirge orm féin — níorbh fhéidir liom guaim a choinneáil orm féin ionas go bhféadfainn súil a choinneáil air. Um an dtaca sin, bhí a fhios agam go raibh sé as féin sa teach, agus gan a thuilleadh moille, bhuail mé ar a chloigeann é."

"Bhuail tú ar a chloigeann é?" arsa Ceimp de bhéic.

"Bhuail — bhain mé stangadh as — agus é ag dul síos an staighre. Bhuail mé ar chúl a chinn é le stól a bhí ar léibheann an staighre. Chuaigh sé síos staighre mar a bheadh mála seanbhróg."

"Ach — Dar fia! Gnáthbhéasa na daonnachta—"

"Tá sé sin sách maith do ghnáthdhaoine. Ach ba é lomfhírinne an scéil, a Cheimp, go raibh orm iarracht a dhéanamh éalú ón teach faoi bhréagriocht i ngan fhios dó. Níorbh fhéidir liom cuimhneamh ar aon bhealach eile a dhéanta. Agus ansin chuir mé mantóg ann le veist Louis Quatorze agus cheangail mé le braillín é.

"Cheangail tú le braillín é!"

"Rinne mé mála as. Smaoineamh maith a bhí ann chun an leibide a choinneáil ciúin agus faoi sceimhle, agus ba rí-dheacair dó éalú as — bhí a chloigeann i bhfad ó shreang a cheangailte. A Cheimp, a chara, ní haon mhaith duit suí ansin ag stánadh orm amhail is gur dúnmharfóir mé. Bhí orm é a dhéanamh. Bhí gunnán aige. Dá bhfeiceadh sé mé bheadh sé in ann cur síos a dhéanamh orm—"

"Ach mar sin féin," arsa Ceimp, "i Sasana — sa lá atá inniu ann. Agus bhí an fear ina theach féin, agus bhí tusa — bhuel, ag goid."

"Ag goid! I gcuntais Dé! Baistfidh tú gadaí orm más ea! Is mó de chiall atá agatsa, a Cheimp, go deimhin ná géilleadh do sheantuairimí. Nach bhfeiceann tú mo thaobhsa den scéal?"

"Agus a thaobhsan leis," arsa Ceimp.

Sheas an Fear Dofheicthe in airde go hobann. "Cad atá i gceist agat?"

Tháinig righneas ar aghaidh Cheimp. Bhí sé ar tí rud éigin a rá ach choinnigh sé guaim air féin. "Is dócha, i ndeireadh na dála," ar seisean agus athrú meoin air, "nár mhór é a dhéanamh. Bhí tú san fhaopach. Ach mar sin féin—"

"Bhí mé san fhaopach go cinnte — i bponc ceart. Agus chuir sé as mo mheabhair mé — do mo thóraíocht ar fud an tí, ag pleidhcíocht lena ghunnán, ag glasáil agus ag díghlasáil doirse. Chuir sé an gomh orm. Ní thógfá orm é, an dtógfadh? Ní thógfá orm é?"

"Ní thógaim aon ní ar éinne," arsa Ceimp. "Ná bris nós. Cad a rinne tú ansin?"

"Bhí ocras orm. Fuair mé builín aráin agus cáis lofa thíos staighre — bhí breis agus mo sháith agam. Bhí braon branda agus uisce agam, agus shiúil mé thar an mála seiftiúil — bhí sé ina luí go socair — chuig an seomra ina raibh na sean-éadaí. Bhí radharc agam ar an tsráid lasmuigh tríd an dá chuirtín lása dhonnsmálta a bhí ag clúdach na fuinneoige. Chuaigh mé anonn agus d'fhéach mé amach sa bhearna eatarthu. Bhí sé ina lá geal lasmuigh — murab ionann agus scáileanna donna an tí dhearóil ina raibh mé — gile na gile. Bhí trácht nach beag ag dul thar bráid, cairteacha torthaí, *hansom*, cairt ceithre roth ar a raibh carn boscaí, cairt díoltóra éisc. Thiontaigh mé agus spotaí daite ar foluain os comhair mo dhá shúil ar d'fhéach mé ar na daingneáin scáileacha a bhí laistiar díom. Bhí an bhís a bhí orm ag maolú agus bhí imní faoi mo chás ag dul i méid arís. Bhí boladh ar éigean beansóil, a úsáideadh chun na héadaí a ghlanadh, is dócha, le fáil sa seomra.

"Thosnaigh mé ag cuardach go córasach. Déarfainn go raibh an cruiteachán ina aonar sa teach le tamall. Duine ann féin a bhí ann. Bhailigh mé gach rud a d'fhéadfainn a úsáid sa seomra stórais, agus ansin roghnaigh mé earraí go coinsiasach. Tháinig mé ar mhála láimhe a bheadh áisiúil, dar liom, agus ar phúdar, ar dheargadh aghaidhe, agus ar phlástar greamaitheach.

"Smaoinigh mé ar m'aghaidh agus a mbeadh ar taispeáint díom a phéinteáil agus a phúdráil, ionas go bhfeicfí mé, ach ba é ba mheasa faoi sin go mbeadh tuirpintín agus earraí eile agus roinnt mhaith ama de dhíth orm sularbh fhéidir liom imeacht as radharc arís. I ndeireadh na dála, roghnaigh mé aghaidh fidil ní b'fhearr, ábhairín gránna ach gan a bheith ní ba ghránna ná go leor daoine daonna, spéaclaí dorcha, féasóg liath leiceann agus folt bréige. Níorbh fhéidir liom teacht ar aon fho-éadaí, ach bheinn in ann iadsan a cheannach ní ba dhéanaí, agus i láthair na huaire chlúdaigh mé mé héin le domanónna ceaileacó agus le scaifeanna bána caismíre. Níorbh fhéidir liom teacht ar stocaí, ach ní raibh buataisí an chruiteacháin ró-theann ar mo chosa agus ba leor iad. Bhí trí shabharn agus luach um thríocha scilling d'airgead sa deasc sa siopa agus i gcófra a bhí faoi ghlas, ach a bhris mé, sa seomra laistigh bhí luach ocht bpunt d'ór. Bhí mé in ann dul amach sa saol arís agus caoi agam chuige.

"Ansin stad mé ar chúis éigin. An raibh an chuma a bhí orm inchreidte i ndáiríre? D'fhéach mé orm féin i scáthán beag seomra leapa agus scrúdaigh mé mé héin ó gach cearn féachaint ar dhearúd mé aon stiall, ach bhí an chuma ar an scéal go raibh gach ní in ord agus in eagar. Bhí cuma ghránna orm, fiú mar charachtar stáitse, ach ní fhéadfaí a áiteamh nach raibh mé inchreidte. Chruinnigh mé mo mhisneach, thug mé an scáthán liom síos chuig an siopa, tharraing mé anuas dallóga an tsiopa, agus d'fhéach mé orm féin ó gach pointe féachana le cúnamh scáthán *cheval* a bhí sa chúinne.

"Chaith mé roinnt nóiméad ag cruinniú mo mhisnigh agus ansin bhain mé an glas de dhoras an tsiopa agus amach liom ar an tsráid, agus d'fhág mé an fearín i mo dhiaidh le teacht amach as an mbraillín nuair ba mhian leis. Faoi cheann cúig nóiméad, bhí dosaen casadh déanta agam ó d'fhág mé an siopa. Ní raibh an chuma ar an scéal gur thug éinne suntas ró-mhór dom. Bhí an deacracht dheireanach sáraithe agam."

Stad sé arís.

"Agus níor smaoinigh tú beag ná mór ar an gcruiteachán arís?" arsa Ceimp.

"Níor smaoinigh!" arsa an Fear Dofheicthe. "Ná níor chuala mé ar tharla dó. Ní foláir nó gur shaor sé é héin nó gur chiceáil sé é héin amach as an mbraillín. Bhí na snaidhmeanna sách daingean."

Thit sé dá thost agus chuaigh sé anonn chuig an bhfuinneog agus stán sé amach.

"Cad a tharla duit nuair a chuaigh tú isteach sa Trá?"

"Ó! — díomá arís. Mheas mé go raibh an anachain curtha díom agam. Mheas mé go raibh ar mo chumas rud ar bith ba mhian liom a dhéanamh — seachas mo rún a sceitheadh. Nó sin a mheas mé. Pé rud a dhéanfainn, pé iarmhairt a bheadh ann, ba chuma dom. Ní raibh le déanamh agam ach mo chuid éadaí a chaitheamh díom agus imeacht ó radharc. Níorbh fhéidir le duine ar bith mo cheapadh. D'fhéadfainn airgead a fháil mar ar tháinig mé air. Bheartaigh mé ar bhéile sóch a bheith agam, agus ansin fanacht in óstán maith, agus maoin nua a fháil dom féin. Bhí mé lán de mhisneach; ní deas an rud é a thabhairt chun cuimhne gur amadán a bhí ionam. Chuaigh mé isteach in áit faoi leith, bhí mé ag ordú mo lóin agus rith sé liom ansin nárbh fhéidir liom é a ithe gan m'aghaidh dhofheicthe a fhoilsiú don saol. D'ordaigh mé an lón, dúirt mé leis an bhfear go mbeinn ar ais faoi cheann deich nóiméad agus d'fhág mé go díomách. N'fheadar ar tháinig díomá ghoile ort riamh?"

"Níor tháinig chomh mór sin," arsa Ceimp, "ach d'fhéadfainn a shamhlú."

"D'fhéadfainn na diabhail a bhascadh. I ndeireadh na dála, agus fonn orm bia blasta a bheith agam, chuaigh mé isteach in áit eile agus d'éiligh mé seomra príobháideach. 'Tá máchail orm,' arsa mise. 'Drochmháchail.' D'fhéach siad orm go hamhrasach, ach níor bhain sé dóibh — agus bhí mo lón agam i ndeireadh thiar. Ní raibh an riar thar moladh bheirte, ach ba leor é; agus tar éis a ite, chaith mé todóg agus rinne mé iarracht plean a chur le chéile. Agus bhí stoirm shneachta ag tosnú lasmuigh.

"Dá mhéad a chuimhnigh mé air, a Cheimp, ba ea ba mhó a thuig mé a ainnise a bhí Fear Dofheicthe i ndáiríre — in aeráid fhuar agus shalach agus i gcathair shibhialtach phlódaithe. Sular thug mé faoin turgnamh áiféiseach seo, shamhlaigh mé na mílte buntáiste. An tráthnóna sin, ba gheall le díomá ar fad é. Shantaigh mé rudaí sa bhreis ar ghnáthmhianta an duine. B'fhéidir a mbaint amach go cinnte de bhun na dofheictheachta, ach ba dhodhéanta taitneamh a bhaint astu tar éis a mbainte amach. Uaillmhian — cad is fiú mórtas áite a bheith ag duine nuair nach bhfeictear ann thú? Cad is fiú grá mná nuair is í Delilah í. Níl aon spéis agam sa pholaitíocht, i mbligeardacht an allaidh, sa daonchairdeas, sa spórt. Cad a dhéanfainn? Agus chuige sin bhí mé i mo rúndiamhair chlúdaithe, scigléiriú bindealánaithe clúdaithe d'fhear!"

Stad sé, agus bhí an chuma air go raibh sé ag féachaint i dtreo na fuinneoige.

"Ach conas a bhain tú Baile Ipa amach?" arsa Ceimp, agus é ag iarraidh an t-aoi a choinneáil leis.

"Chuaigh mé ann chun obair a dhéanamh. Bhí dóchas amháin agam. Leath-thuairim a bhí ann! Tá sí agam fós. Lántuairim anois í. Bealach siar! A bhfuil déanta agam a chasadh siar. Nuair is rogha liom féin. Nuair a bheidh gach a bhfuil i gceist agam a dhéanamh go dofheicthe déanta agam. Agus sin é an rud ba mhian liom a phlé leatsa go príomha anois."

"Chuaigh tú caoldíreach go Baile Ipa?"

"Chuaigh. Ní raibh le déanamh agam ach mo thrí leabhar meamraim agus mo sheicleabhar, mo bhagáiste agus mo chuid fo-éadaí a fháil, roinnt ceimiceán a ordú chun an tuairim a chur i gcrích — taispeánfaidh mé na ríomha duit a luaithe a gheobhaidh mé mo chuid leabhar — agus chuir mé chun oibre. Dar fia! Is cuimhin liom an stoirm shneachta anois, agus ba mhór an deacracht a bhí agam an sneachta a choimeád ó mo shrón bhréige agus í á leá."

"I ndeireadh na dála," arsa Ceimp, "arú inné, nuair a thángthas ort, is amhlaidh — de réir na nuachtán—"

"Rinne.   Is amhlaidh. Ar mharaigh mé an leibide de chonstábla sin?"

"Níor mharaigh," arsa Ceimp. "Meastar go bhfuil sé ag téarnamh."

"Tá an t-ádh leis, mar sin. Baineadh mo mhíthapa asam, na hamadáin! Faraor nár éist siad liom! Agus an gamal de ghrósaeir?"

"Ní mheastar go bhfaighfidh éinne bás," arsa Ceimp.

"Níl a fhios agam faoin mbacach sin agam," arsa an Fear Dofheicthe agus rinne sé gáire doilbhir.

"Dar fia, a Cheimp, ní thuigeann tusa cad is racht feirge ann! ... Na blianta a chaitheamh ag saothrú leat, ag pleanáil agus ag beartú, agus go dtiocfadh leibide críochnaithe salach ort! ...

Seoladh gach liúdramán dár saolaíodh riamh faoi mo dhéin le cur isteach orm.

"Má leanann sé ar aghaidh mar seo, rachaidh mé le báiní — tosóidh mé á ndíothú. Faoi mar atá, is amhlaidh atá an scéal míle uair níos deacra dá mbarr."

"Crá croí atá, ní foláir," arsa Ceimp de ghlór tur.

CAIBIDIL XXIV
AN PLEAN A CHLIS

"Ach anois," arsa Ceimp, agus é ag caitheamh súile go cliathánach i dtreo na fuinneoige, "cad a dhéanfaimid?"

Bhog sé ní ba ghaire dá aoi agus é ag caint ar bhealach nach bhfaigheadh sé radharc ar an dtriúr fear a bhí ag teacht aníos bóthar an chnoic — go spadánta malltriallach dar le Ceimp.

"Cén plean a bhí agat agus tú ag tabhairt aghaidhe ar Phort na Copóige? An raibh aon phlean agat?"

"Bhí mé chun na cosa a thabhairt liom as an tír. Ach tá athrú tagtha ar an bplean sin ó bhuail mé leatsa. Mheas mé go mba chiallmhar an mhaise é, agus an aimsir brothallach agus an dofheictheacht indéanta, aghaidh a thabhairt ó dheas. Go háirithe agus mo rún sceite, agus gach éinne ar faire d'fhear clúdaithe na haghaidhe fidil. Tá scuaine galtán idir seo agus an Fhrainc. Bhí sé i gceist agam dul ar bord ceann díobh agus dul sa seans. Ansin, d'fhéadfainn taisteal go dtí an Spáinn nó go dtí an Ailgéir, ar an dtraein. Níor dheacair é. Bheadh fear dofheicthe ansin i gcónaí — agus beo fós. Agus d'fhéadfadh sé rudaí a dhéanamh. Bhí an bacach á úsáid agam mar a bheadh bosca airgid agus iompróir bagáiste, nó go mbeartóinn conas a chuirfinn na leabhair agus na giúirléidí eile anonn chugam."

"Is léir sin."

"Agus déanann an bithiúnach lofa iarracht goid uaim! Chuir sé mo chuid leabhar i bhfolach, a Cheimp. Mo chuid leabhar i bhfolach. Dá bhféadfainn greim a fháil air!"

"B'fhearr duit na leabhair a fháil uaidh ar dtúis."

"Ach cá bhfuil sé? An bhfuil a fhios agat?"

"Tá sé i stáisiún na bpóilíní faoin mbaile, faoi ghlas dá dheoin féin, sa chill is daingne san áit."

"An scabhaitéir!" arsa an Fear Dofheicthe.

"Ach cuireann sé sin cor i do chuid pleananna."

"Ní mór dúinn na leabhair a fháil; tá na leabhair sin rí-thábhachtach."

"Go deimhin," arsa Ceimp agus é ábhairín neirbhíseach agus amhras air gur chuala sé coiscéimeanna lasmuigh. "Ní mór dúinn na leabhair sin a aimsiú go deimhin. Ach níor dheacair sin, mura mbeidh a fhios aige gur leatsa iad."

"Níor dheacair," arsa an Fear Dofheicthe agus é ag déanamh a mharana.

Rinne Ceimp iarracht cuimhneamh ar rud éigin a chuirfeadh dlús faoin gcaint, ach lean an Fear Dofheicthe ar aghaidh dá dheoin féin.

"Ach ar tháinig mé isteach de thaisme, i do theach, a Cheimp," ar seisean, "athraíodh mo phleananna uile. Óir is fear thusa a thuigeann. In ainneoin ar tharla, in ainneoin na poiblíochta seo, in ainneoin mo leabhair a chailliúint, in ainneoin ar fhulaing mé, tá deiseanna iontacha, deiseanna móra ann fós—"

"Níor inis tú do dhuine ar bith gur anseo atáim?" ar seisean go hobann.

Níor fhreagair Ceimp é.

"Níor chás é sin a rá leat," ar seisean.

"Duine ná deoraí?" arsa an Grifíneach.

"Duine ná deoraí."

"Á! Anois—" Sheas an Fear Dofheicthe in airde, agus a dhá láimh ar a mhaotháin agus thosnaigh sé ag siúl anonn agus anall sa seomra staidéir.

"Rinne mé tuaiplis, a Cheimp, tuaiplis mhór, é seo ar fad a dhéanamh asam féin. Chuir mé neart, am agus deiseanna amú. Asam féin — is iontach a laghad is féidir le duine a dhéanamh as féin! Beagán gadaíochta, beagán gortúcháin, agus sin sin.

"Is é atá uaim, a Cheimp, cúl báire, cúntóir, agus áit folaigh, socrú lenar féidir liom codladh a dhéanamh, bia a ithe, mo scíth a ligean ar mo shuaimhneas, agus i ngan fhios. Ní mór dom rúnchara a bheith agam. Ach a mbeadh rúnchara, bia agus scíth agam — d'fhéadfaí míle rud a chur i gcrích.

"Ní raibh bun ná barr liom go dtí seo. Ní mór dúinn machnamh a dhéanamh ar a bhfuil i gceist leis an ndofheictheacht, agus ar an méid nach bhfuil i gceist léi. Is beag buntáiste na cúléisteachta agus mar sin de ann — déanann duine torann. Is beag cúnamh í — beagán cúnaimh b'fhéidir — chun briseadh isteach i dtithe agus mar sin de. Ach a mbéartar orm is furasta mo chur sa phríosún. Ach ar an láimh eile, ní furasta breith orm. Níl de bhuntáiste leis an ndofheictheacht seo ach dhá chás:

187

Tá sí úsáideach chun éalaithe, tá sí úsáideach chun rochtana. Tá sí thar a bheith úsáideach, dá bhrí sin, chun an mharaithe. Is féidir liom siúl um dhuine, beag beann ar a bhfuil aige d'uirlis, amas a aimsiú agus buille a tharraingt mar is mian liom. Seachaint mar is mian liom. Éalú mar is mian liom."

Chuir Ceimp a lámh ar a chroiméal. Ar chuala sé gluaiseacht thíos staighre?

"Agus ní mór dúinn marú a dhéanamh, a Cheimp."

"Ní mór dúinn marú a dhéanamh," arsa Ceimp. "Táim ag éisteacht le do phlean, a Ghrifínigh, ach ní aontaím leat. *Cad chuige* an marú?"

"Ní marú ainrianta, ach marú de bhun breithiúnais. Is é atá i gceist agam, go bhfuil a fhios acu gurb ann d'Fhear Dofheicthe — faoi mar is eol dúinn gurb ann d'Fhear Dofheicthe. Agus ní mór don Fhear Dofheicthe sin, a Cheimp, Réimeas Uamhnachta a bhunú anois. Ní folái go mbaineann sé sin siar asat. Ach ní ag magadh atáim. Réimeas Uamhnachta. Ní mór dó baile éigin a roghnú, a leithéidí Port na Copóige, agus é a chur faoi uamhnacht agus faoi smacht. Ní mór dó orduithe a thabhairt. Is féidir leis é sin a dhéanamh ar mhíle slí — ba leor blúiríocha páipéir a shá faoi dhoirse. Agus na daoine sin a sháraíonn a chuid orduithe, ní mór dó iad a mharú, mar aon le gach duine a chosnódh na daoine sin."

"Humf!" arsa Ceimp, nach raibh ag éisteacht leis an nGrifíneach a thuilleadh ach le torann an dorais tosaigh á oscailt agus á dhúnadh.

"Tá an chuma ar an scéal, a Ghrifínigh," ar seisean, agus é ag iarraidh a neamhaird a cheilt, "go mbeadh do rúnchára i bponc ceart."

"Ní bheadh a fhios ag éinne gur rúnchara é," arsa an Fear Dofheicthe agus é ar bís. Agus ansin go hobann, "Fuist!" Cad é sin thíos staighre?"

"Faic," arsa Ceimp agus thosnaigh sé ag labhairt os ard agus go gasta. "Ní aontaím leis seo, a Ghrifínigh," ar seisean. "Tuig uaim é, ní aontaím leis seo. Cén chúis a bheadh agat cluiche a imirt i gcoinne daoine? Cén dóchas a bheadh agat a bheith sásta? Ná bí i do chadhan aonair. Foilsigh do chuid torthaí; scaoil do rún leis an saol — leis an náisiún ar a laghad. Samhlaigh an méid a d'fhéadfá a bhaint amach ach milliún cúntóir a bheith agat—"

Chuir an Fear Dofheicthe isteach air — shín sé a lámh amach. "Tá coiscéimeanna ar an staighre," ar seisean de ghlór íseal.

"Seafóid!" arsa Ceimp.

"Fan go bhfeice mé," arsa an Fear Dofheicthe, agus shiúil sé leis, a lámh roimhe amach, chuig an doras.

Agus ansin, thit rudaí amach go han-tapaidh. Stad Ceimp ar feadh soicind agus ansin rinne sé iarracht teacht roimhe. Stán an Fear Dofheicthe air agus sheas sé ann gan chorraí. "A bhrathadóir!" arsa an Glór de bhéic, agus osclaíodh an fhallaing sheomra go hobann, agus thosnaigh an fear dofheicthe ag baint de agus é ag suí síos. Ghlac Ceimp trí thruslóg thapaidh i dtreo an dorais, agus léim an Fear Dofheicthe — gan radharc ar a chosa — in airde agus lig sé liú as. D'oscail Ceimp an doras de phlab.

Ar a oscailt dó, chualathas coiscéimeanna ag brostú agus guthanna thíos staighre.

Sháigh Ceimp, de ghluaiseacht thapaidh, an Fear Dofheicthe siar, léim sé i leataobh, agus dhún sé an doras de phlab. Bhí an eochair ar an dtaobh amuigh agus sa ghlas. Faoi cheann nóiméid eile bheadh an Grifíneach as féin sa seomra staidéir san áiléar agus é ina chime. Seachas aon rud amháin. Cuireadh an eochair isteach faoi dhithneas an mhaidin sin. Nuair a dhún Ceimp an doras de phlab, thit an eochair ar an mbrat urláir.

D'éirigh aghaidh Cheimp mílítheach. Rinne sé iarracht breith ar lámh an dorais lena dhá láimh. Sheas sé ann ar feadh nóiméid agus é ag tarraingt leis. Ansin osclaíodh an doras um shé horlaí. Ach d'éirigh leis é a dhúnadh arís. An dara babhta, osclaíodh um throigh é agus sádh an fhallaing sheomra isteach san oscailt. Rug méaracha dofheicthe greim ar a scornach, agus scaoil sé an greim a bhí aige ar lámh an dorais chun é héin a chosaint. Sádh siar i leith a chúil é, baineadh tuisle as agus thit sé de phlab i gcúinne an léibhinn. Caitheadh fallaing sheomra anuas air.

Bhí an Coirnéal de Híde, an duine a fuair litir Cheimp, ceannaire phóilíní Phort na Copóige, leath slí aníos an staighre. Bhí sé ag stánadh go béal-oscailte ar an gcuma a bhí ar Cheimp, agus ar an bhfallaing sheomra a bhí ar foluain san aer. Chonaic sé Ceimp á leagan agus é ag iarraidh seasamh ar a chosa arís. Chonaic sé é ag déanamh ruathair chun tosaigh, agus titim arís, mar a leagfaí damh.

Buaileadh go fíochmhar go hobann é. Gan fear na foghla le feiscint! Léim ualach mór, dar leis, in airde air agus caitheadh i mullach a chinn síos an staighre é, agus greim láimhe ar a scornach agus buille glúine ina ghabhal. Shatail cos dhofheicthe ar a dhrom, chuala sé "trup, trup" taibhsiúil ag dul síos an staighre, chuala sé beirt phóilíní ag ligean liú astu sa halla agus ag rith, agus chuala sé doras tosaigh an tí á dhúnadh go fíochmhar de phlab.

Thiontaigh sé ar a dhrom agus shuigh sé aniar agus é ag stánadh. Chonaic sé Ceimp ag teacht anuas an staighre go tuisleach, é clúdaithe le deannach agus smolchaite, taobh amháin dá aghaidh mílítheach ón mbuille, a liopa ag cur fola, agus fallaing bhándearg sheomra agus fo-éadaí ina bhaclainn aige.

"Go bhfóire Dia orainn!" arsa Ceimp, "tá ár gcosa nite! Tá sé imithe!"

CAIBIDIL XXV
TÓRAÍOCHT AN FHIR DHOFHEICTHE

Ar feadh tamaillín níorbh fhéidir le Ceimp teacht ar na focail a ligfeadh dó ar tharla de gheit roimhe sin a chur in iúl do de Híde. Bhí siad ina seasamh ar an léibheann, bhí Ceimp ag labhairt go gasta agus éadaí gránna an Ghrifínigh ina bhaclainn fós aige. Ach fuair de Híde tuiscint éigin ar an gcás gan ró-mhoill.

"Is gealt é," arsa Ceimp; "mí-dhaonna. Tá sé leithleasach amach is amach. Níl aon ní ar a aire aige ach a leas féin, a shábháilteacht féin. D'éist mé le scéal ar maidin faoi fhéin-éileamh fíochmhar... Ghoin sé daoine. Maróidh sé iad murar féidir linn stop a chur leis. Cuirfidh sé scaoll ar dhaoine. Ní bheidh aon stop leis. Tá sé imithe amach anois — ar mire!"

"Ní mór breith air," arsa de Híde. "Is cinnte sin."

"Ach conas?" arsa Ceimp de bhéic, agus tháinig rabharta smaointe chuige ar ala na huaire. "Ní mór duit tosnú láithreach. Ní mór gach fear a bhfuil fáil air a chur chun oibre; ní mór stop a chur leis an gceantar seo a fhágaint. Ach a n-éalóidh sé, seans go rachaigh sé faoin tuath ar a thoil agus é ag gortú agus ag marú roimhe. Níl faoi ná thairis ach réimeas uamhnachta! Réimeas uamhnachta, a deirim leat. Ní mór traenacha, bóithre agus longa a fhaire. Ní mór don gharastún cuidiú libh. Ní mór fios a chur ar chúnamh. Is é an t-aon rud a choinneodh anseo é go mbeadh seans aige roinnt leabhar nótaí is luachmhar leis a aimsiú.

Inseoidh mé duit fúthu sin. Tá fear i stáisiún na bpóilíní agat — Mac Amhra."

"Tá a fhios agam," arsa de Híde, "tá a fhios agam. Na leabhair sin — sea. Ach an bacach...."

"Deir sé nach bhfuil siad aige. Ach is dóigh leis an bhFear Dofheicthe go bhfuil. Agus ní mór stop a chur leis dul a chodladh nó bia a ithe; ní mór an tuath a chuardach dó de ló agus d'oíche. Ní mór bia a chur faoi ghlas, an bia uile, ionas go mbeidh air a nósanna a bhriseadh chun é a fháil. Ní mór tithe ar fud an bhaill a dhaingniú ina choinne. Go bhfaighimis oícheanta fuara báistí! Ní mór an tuath go léir a bheith sa tóir air agus leanúint orthu á thóraíocht. Deirimse leat, de Híde, is contúirt é, is tubaiste é; mura n-aimeofar é, mura ndaingneofar é, is eagal liom cuimhneamh ar a dtitfeadh amach."

"Cad eile is féidir linn a dhéanamh?" arsa de Híde. "Ní mór dom dul síos láithreach agus rudaí a chur in eagar. Nach dtiocfá liom? Sea — tar liom! Téanam, agus beidh comhairle chogaidh againn — cuirfimid fios ar Mhac Hob — agus ar bhainisteoirí an iarnróid. Dar fia! Tá práinn leis. Téanam — inis dom sa tslí é. Ach cad eile atá le déanamh? Leag uait an stuif sin."

I bhfaiteadh na súl bhí de Híde ag imeacht roimhe síos an staighre. Bhí an doras tosaigh ar oscailt agus bhí póilíní ina seasamh lasmuigh de agus iad ag stánadh rompu. "Thug sé na cosa leis, a dhuine uasail," arsa duine acu.

"Ní mór dúinn dul chuig an stáisiún láir láithreach bonn," arsa de Híde. "Imíodh duine agaibh-se síos agus aimsigh cab a thiocfaidh aníos faoinár gcoinne — brostaígí. Agus anois, a Cheimp, cad eile?"

"Gadhair!" arsa Ceimp. "Aimsigh gadhair. Ní fheiceann siad é, ach airíonn siad a bholadh. Aimsigh gadhair."

"Go maith," arsa de Híde. "Ní eolas é seo atá i mbéal an phobail, ach tá aithne ag na hoifigigh phríosúin thall i gCúl Dín ar fhear a bhfuil gadhair fola aige. Gadhair. Cad eile?"

"Cuimnigh," arsa Ceimp, "go bhfeictear a chuid bia ann. Tar éis dó bia a ithe, feictear é nó go ndéantar a dhíleá. Ní mór dul i bhfolach tar éis bia a ithe. Ní mór leanúint leis an dtóraíocht. Gach sceach, gach cúinne ciúin. Cuirtear gach arm — gach uirlis a d'fhéadfadh a bheith ina harm — i bhfolach. Ní féidir leis a leithéid a thabhairt leis ró-fhada. Agus ní mór aon ní a bhféadfadh sé breith air agus daoine a bhualadh leis a chur faoi cheilt."

"Go maith," arsa de Híde. "Béarfaimid air fós!"

"Agus ar na bóithre," arsa Ceimp, agus stad sé.

"Abair leat," arsa de Híde.

"Gloine phúdraithe," arsa Ceimp. "Tá sé cruálach, dar fia. Ach cuimhnigh ar a bhféadfadh sé a dhéanamh!"

Tharraing de Híde anáil isteach go sioscarnach idir a chuid fiacla. "Ní luíonn sé le cothrom na Féinne. Níl a fhios agam. Ach beidh an ghloine phúdraithe réidh agam. Má théann sé thar fóir..."

"Tá an fear sin mí-dhaonna, a deirim leat," arsa Ceimp. "Táim deimhin de go mbunóidh sé réimeas uamhnachta — a luaithe a chuirfidh sé racht mothúchán an éalaithe seo de — chomh cinnte agus atáim ag labhairt leatsa. Is é an t-aon seans atá agat a bheith chun tosaigh air. Tá sé scoite amach óna chine féin. Air héin atá an locht sin."

194

CAIBIDIL XXVI
DÚNMHARÚ BHUICSTÍD

Is cosúil gur imigh an Fear Dofheicthe de ruathar ó theach Cheimp agus racht feirge air. Ardaíodh leanbh beag a bhí ag súgradh in aice le geata Cheimp agus caitheadh i leataobh é agus briseadh a rúitín. Ní raibh tásc ná tuairisc ar an bhFear Dofheicthe ar feadh uaireanta an chloig ina dhiaidh sin. Níorbh eol d'éinne cá ndeachaigh sé ná cad a rinne sé. Ach is féidir a shamhlú agus é ag brostú suas an cnoc i mbrothall an Mheithimh agus ar aghaidh leis ar an dtalamh íseal laistiar de Phort na Copóige, é lán d'fhearg agus d'éadóchas faoinar tharla dó, te agus tnáite, i measc mhothar Ghleann Hinton, agus é ag scéiméireacht athuair i gcoinne a chine féin. Ba chosúil gurbh é sin an áit ab fhearr foscadh dó, óir ba ansin a fuarthas tuairisc arís air ar bhealach tragóideach um a dó a chlog sa tráthnóna.

N'fheadair éinne cén meon a bhí aige i rith an ama sin, ná cé na pleananna a bheartaigh sé. Ní foláir nó gur chuir feallbheartaíocht Cheimp i mbarr a chéile é, agus cé gurbh fhéidir linn an chúis a bhí leis an bhfeallbheartaíocht sin a thuiscint, d'fhéadfaimis an fhearg agus an t-iontas a bheadh air a shamhlú agus a thuiscint dó, de bheagán b'fhéidir. Seans gur chuimhnigh sé athuair ar an iontas a bhaint dó ar Shráid Áth an Daimh, óir ba léir go raibh sé ag brath ar chomhoibriú Cheimp chun aisling sin an domhain faoi sceimhle a chur i gcrích. Pé ar domhan é, ní raibh tásc ná tuairisc air ó mheán lae amach, agus ní féidir le finné beo ar bith a ndearna sé go dtí um a leathuair tar éis a dó a rá linn. Ba mhaith an rud don chine daonna é, b'fhéidir, ach ina chás siúd ba éigníomh tubaisteach é.

I rith an ama sin leath líon mór fear ar fud na dúiche agus iad sa tóir air. Ní raibh ann, ar maidin, ach iomrá nó uafás; san iarnóin, de bhun chuntas tur Cheimp go príomha, ba chéile comhraic inláimhsithe é nár mhór a leonadh, a ghabháil nó a chloí, agus chuir muintir na dúiche chun oibre go han-ghasta. Faoina dó a chlog, bhí seans aige éalú ón gceantar ar thraein, ach ina dhiaidh sin amach níorbh fhéidir leis a leithéid a dhéanamh. Gach traein phaisinéirí a thaistil ar na hiarnróid laistigh de chomhthreomharán ollmhór idir an tArdbhaile Theas, Manchain, An Gealbhaile agus Baile Orsa, bhí a gcuid doirse faoi ghlas acu, agus cuireadh an trácht lastais ar fionraí. Laistigh de mhórchiorcal um fiche míle um Port na Copóige, bhí fir a raibh gunnaí agus maidí acu ag imeacht ina dtriúranna nó ina gceathrair, agus gadhair lena gcosa, chun na bóithre agus na páirceanna a chuardach.

Bhí póilíní ar muin capall ag taisteal na lánaí agus ag stopadh ag gach teachín agus ag cur fainic ar dhaoine a dtithe a chur faoi ghlas agus fanúint laistigh mura raibh arm acu, agus scoradh na bunscoileanna go léir faoina trí a chlog agus bhí na leanaí ag brostú abhaile ina mbuíonta critheaglacha. Crochadh forógra Cheimp — a shínigh de Híde freisin — ar fud na dúiche faoina ceathair nó faoina cúig a chlog tráthnóna. Thug sé cuntas achomair ach soiléir ar dhálaí uile na tóraíochta, ar an ngá gan ligean don Fhear Dofheicthe bia ná codladh a fháil, a bheith ar síorfhaire agus a bheith san airdeall ar aon fhianaise ar a chuid gluaiseachtaí. Bhí gníomhú lucht an údaráis chomh tapaidh agus chomh diongbháilte sin, chreid daoine chomh pras agus chomh daingean sa neach aduain sin, go raibh na céadta míle cearnach den cheantar faoi léigear roimh thitim na hoíche sin. Le crónú na hoíche, freisin, bhí idir thír is talamh ar tinneall agus ag faire umpu. Scaipeadh scéala dhúnmharú Mhr Buaicín ó bhéal go béal, go pras agus go pointeáilte fud fad na dúiche.

Má ghlacaimid leis go raibh an Fear Dofheicthe i bhfolach i measc mhothar Ghleann Bhaile na Manach, ní mór dúinn glacadh leis gur tháinig sé amach as arís i dtús an iarnóin agus plean agus arm éigin aige. Ní heol dúinn cén plean a bhí aige, ach is follasach an rud é gur chosúil go raibh an tslat iarainn ina láimh aige sular casadh Mr Buaicín air.

Ní heol dúinn aon ní faoinar tharla eatarthu, gan amhras. Tharla sé ar chiumhais claise gairbhéil um dhá chéad slat ó gheata lóiste Thiarna na Copóige. Tá an chuma ar an scéal go raibh comhrac fíochmhar ann — lorg na gcos ar an dtalamh, an iliomad gonta a bhain do Mhr Buaicín, a bhata siúil scoilte; ach ní féidir a shamhlú cad ba chúis leis an ionsaí, gan trácht ar an ndúnmharú fíochmhar. Ní féidir téis na mire a shéanadh, go deimhin. Bhí Mr Buaicín um chúig nó shé bliana agus dhá scór, bhí sé ar giollaíocht le Tiarna na Copóige, ní chuirfeadh a ghnúis ná a bhéasa as do dhuine ná do dheoraí, an duine is lú ar domhan a tharraingeodh céile comhraic gáifeach air féin. Is cosúil gur úsáid an Fear

Dofheicthe slat iarainn a bhain sé de sconsa briste chun a bhasctha. Chuir sé bac leis an bhfear séimh sin, a bhí ar a bhealach abhaile go ciúin chun a bhéile lár lae a chaitheamh, thug sé fogha faoi, bhris sé a lámh, leag sé chun talaimh é, agus smísteáil sé a chloigeann.

Ní foláir nó gur tharraing sé an tslat sin amach as an sconsa sular casadh an fear bocht air — ní foláir nó go raibh sé ina láimh aige agus é réidh chun a húsáide. Níl ach dhá ní eile le lua i dtaca leis an ábhar seo nár luadh go dtí seo. Ar an gcéad dul síos, ní raibh an chlais ghairbhéil ar bhealach Mhr Buaicín chun an bhaile, ach cúpla céad slat as an tslí. Ar an dtarna dul síos, deir cailín óg, go bhfaca sí, ar a bealach chun na scoile san iarnóin, an fear a maraíodh agus é ag 'sodar' go haisteach trasna páirce i dtreo na claise gairbhéil. De réir na haithrise a rinne sí ar a chuid geaitsíochta ba dhóigh le duine go raibh sé sa tóir ar rud éigin ar feadh an talaimh roimhe agus go raibh sé á bhualadh arís agus arís eile lena bhata siúil. Ba ise an duine deiridh a chonaic ina bheo é. D'imigh sé óna radharc chun a bháis, óir ní fhaca sí an comhrac a thit amach laistiar de mhothar fáibhile i log sa talamh.

Ina fhianaise sin, dar leis an scríbhneoir seo go háirithe, athraítear dálaí an dúnmharaithe ó dhúnmharú ainrianta. D'fhéadfaimis a shamhlú gur thug an Grifíneach an tslat leis mar uirlis go deimhin, ach gan aon rún daingean aige a húsáid chun dúnmharaithe. Seans gur tháinig Mr Buaicín thar bráid agus go bhfaca sé an tslat sin ar foluain gan chúis san aer. Gan aon chuimhneamh aige ar an bhFear Dofheicthe — óir tá Port na

198

Copóige deich míle uaidh — seans gur lean sé í. D'fhéadfaí a shamhlú, fiú, nár chuala sé trácht riamh ar an bhFear Dofheicthe. D'fhéadfaí an Fear Dofheicthe a shamhlú agus é ag imeacht leis — go ciúin ionas nach dtiocfaí air sa chomharsanacht, agus am Buaicíneach, le teann bíse agus fiosrachta, ag leanúint an ruda féinghluaiste sin — á bhualadh i ndeireadh na dála.

D'fhéadfadh an Fear Dofheicthe éalú go furasta ón bhfear meánaosta a bhí sa tóir air faoi ghnáthchúinsí, ach ón treo a bhí corp an Bhuaicínigh casta nuair a fuarthas é, bhí an chuma ar an scéal go raibh sé de mhí-ádh air an Fear Dofheicthe a thiomáint chun a sháinithe idir triopall neantóg goineogach agus an chlais ghairbhéil. Dóibh siúd a thuigeann a cholgaí atá an Fear Dofheicthe, b'fhurasta an chuid eile den eachtra a shamhlú.

Ach níl ann ach tuairimíocht. Níl d'fhíricí doshéanta ann — óir ní féidir muinín ró-mhór a chur i scéalta leanaí — ach go bhfuarthas corp basctha an Bhuaicínigh, agus slat iarainn fhuilsmálta caite i measc na neantóg. Ach ar chaith an Grifíneach an tslat uaidh, d'fhéadfaí a áiteamh gur thréig sé an cuspóir a bhí aige di — má bhí cuspóir aige — de bharr a shuaite a bhí sé tar éis an eachtra. Is cinnte gurbh fhear féinspéiseach agus neamhmhothúchánach a bhí ann, ach seans gur bhíog radharc a íobartaigh, a chéad íobartaigh, ina chnap fuilteach truamhéileach ag a chosa, gur bhíog sé rabharta aiféala a d'fhéadfadh cur isteach ar feadh tamaill ar pé plean a bhí aige.

Ach ar mharaigh sé Mr Ó Buaicín, is cosúil go ndeachaigh sé trasna na tíre i dtreo an talaimh ísil. Dúirt bean go ndúirt bean léi gur chuala beirt fhear glór agus an ghrian ag dul faoi i bpáirc in aice le Bun na Raithní. Bhí sé ag gol agus ag gáire, ag olagón agus ag uallfartach agus ag béiceadh arís agus arís eile. Ní foláir nó gurbh ait an clos é. Chuaigh sé suas i lár páirce seamar agus chuaigh sé in éag i dtreo na gcnoc.

Ní foláir nó gur fhoghlaim an Fear Dofheicthe beagán faoin úsáid ghasta a bhain Ceimp as a lucht aitheantais an tráthnóna sin. Ní foláir nó go raibh tithe faoi ghlas roimhe; seans go raibh sé ag loiceadóireacht sna stáisiúin iarnróid agus ag smúrthacht thart ar na tithe tábhairne, agus ní foláir nó gur léigh sé na forógraí agus gur thuig sé beagán faoin bhfeachtas a bhí ar bun ina choinne. Agus le titim na hoíche, bhí buíonta de thriúranna nó de cheathrair fear, agus gadhair challánacha ina dteannta, le feiscint scaipthe anseo agus ansiúd ar fud na bpáirceanna. Tugadh treoracha faoi leith do na sealgairí fear seo sa chás go gcasfaí orthu é faoin gcaoi a dtabharfaidís tacaíocht dá chéile. Ach d'éalaigh sé uathu go léir. D'fhéadfaimis a chráiteacht a thuiscint, a bheag nó a mhór, go háirithe nuair ba eisean a chuir an t-eolas a bhíothas a úsaid ina choinne gan taise gan trua ar fáil. Don lá áirithe sin, ach go háirithe, chaill sé a mhisneach; ar feadh um cheithre uair an chloig, cé is moite den uair sin a mharaigh sé an Buaicíneach, bhíothas sa tóir air. Ní foláir nó gur ith sé agus gur chodail sé i rith na hoíche; óir ar bhreacadh an lae, bhí sé ar a sheanléim arís, gníomhach, cumhachtach, feargach agus colgach, agus é réidh don chath mór deiridh leis an saol mór.

CAIBIDIL XXVII
LÉIGEAR THEACH CHEIMP

Léigh Ceimp teachtaireacht aisteach a scríobhadh ar bhileog ghréisceach pháipéir.

"Bhí tú lán de theaspach agus de ghliceas," a luadh sa litir, "ach n'fheadar ó thalamh an domhain cén sochar a bhí ann duitse. Tá tú i mo choinne. Lean tú mé ar feadh lae ina iomláine; rinne tú iarracht scíth na hoíche a cheilt orm. Ach bhí bia agam do d'ainneoin, chodail mé do d'ainneoin, agus níl an cluiche ach ina thús. Níl an cluiche ach ina thús. Níl an dara rogha ann ach tús a chur leis an uamhnacht. Fógraítear leis seo an chéad lá den uamhnacht. Níl Port na Copóige faoi smacht na Banríona a thuilleadh, abair é sin le do Choirnéal Póilíní, agus leis an gcuid eile acu; faoi mo smachtsa atá sé — an Uamhnacht! Is é seo lá a haon de bhliain a haon den ré úr — Ré an Fhir Dhofheicthe. Is mise Fear Dofheicthe a hAon. Agus sinn ag tosnú amach, beidh an riail sách éasca. Cuirfear duine amháin chun báis an chéad lá mar eiseamláir — fear darbh ainm dó Ceimp. Tosaíonn a bhás inniu. Féadfaidh sé dul i bhfolach, faoi cheilt, gardaí a chur uime, armúr a chaitheamh más áil leis — tá an Bás, an Bás neamhfheicthe, ag teacht. Cuireadh sé bearta réamhchúraim i gcrích; rachaidh sé sin i gcion ar mo dhaoine-se. Tosóidh an bás ag an mbosca poist faoi mheán lae. Titfidh an litir isteach ann agus an postaire ag teacht; as go brách léi ansin! Tús an chluiche. Tús leis an mbás. Ná tugtar aon chabhair dó, a dhaoine, nó tiocfaidh an Bás chugaibhse freisin. Gheobhaidh Ceimp bás inniu."

Léigh Ceimp an litir sin faoi dhó, "Ní haon mhagadh é," ar seisean. "Sin é a ghlór! Agus tá sé lándáiríre."

D'iompaigh sé an bhileog fhillte agus chonaic sé an postmharc Ghleann Bhaile na Manach ar thaobh an tseolta di, mar aon leis na sonraí "2d. le n-íoc."

D'éirigh sé ina sheasamh go mall, d'fhág sé a lón gan chríochnú — tháinig an litir le postas a haon a chlog — agus chuaigh sé isteach ina sheomra staidéir. Chuir sé fios ar bhean an tí, agus dúirt sé léi dul ar fud an tí láithreach bonn, laiste gach fuinneoige a dhaingniú, agus na dallóga go léir a dhúnadh. Dhún sé féin dallóga an tseomra staidéir. Bhain sé gunnán beag amach as tarraiceán a bhí faoi ghlas ina sheomra leapa, scrúdaigh sé go cúramach é, agus chuir sé isteach i bpóca a sheaicéid seomra é. Scríobh sé roinnt nótaí gairide, ceann don Choirnéal de Híde, agus thug sé dá chailín aimsire iad le tabhairt léi, agus chuir sé comhairle bheacht uirthi maidir leis an dtreo a ghabhfadh sí ón teach. "Níl baol ar bith ann," ar seisean, agus ansin ar seisean ina intinn, "duitse." Rinne sé a mharana ar feadh tamaill ach a ndearna sé é sin, agus ansin lean sé air ag ithe a lóin a bhí ag fuarú.

D'ith sé idir sosanna machnaimh. Bhuail sé an bord i ndeireadh na dála. "Béarfaimid air!" ar seisean; "agus is mise an baoite. Rachaidh sé thar fóir."

Chuaigh sé in airde chuig an urlár uachtair agus gach doras fan na slí á dhúnadh ina dhiaidh aige. "Cluiche atá ann," ar seisean, "cluiche corr — ach is liomsa an tseansúlacht go léir, a Ghrifínigh, in ainneoin do dhofheictheachta. An Grifíneach *contra mundum* ... le teann díoltais."

Sheas sé ag an bhfuinneog agus é ag stánadh ar an leitir faoi bhrothall an lae. "Ní mór dó bia a aimsiú gach lá — ní mhaím air é. Ar chodail sé i ndáiríre aréir? Amuigh faoi aer áit éigin — slán ó dhaoine a d'aimseodh de thaisme é. Go dtaga aimsir fhuar fhliuch seachas an brothall seo.

"Seans go bhfuil sé do m'fhaire anois."

Chuaigh sé gar don fhuinneog. Buaileadh cnag ar na brící a bhí os cionn an fhráma, agus phreab sé siar de gheit.

"Táim ag éirí neirbhíseach," arsa Ceimp. Ach bhí cúig nóiméad ann sula ndeachaigh sé anonn chuig an bhfuinneog arís. 'Ní foláir nó gur ghealbhan a bhí ann,' ar seisean.

Ansin chuala sé cloigín an dorais tosaigh á bhualadh, agus bhrostaigh sé leis síos an staighre. Bhain sé an glas den doras agus tharraing sé an bolta, scrúdaigh sé an slabhra, chroch sé é, agus d'oscail sé an doras go haireach gan é héin a thaispeáint. Labhair glór a d'aithin sé – de Híde a bhí ann.

"Rinneadh ionsaí ar do chailín aimsire, a Cheimp," ar seisean lasmuigh den doras.

"Go bhfóire Dia orainn!" arsa Ceimp de bhéic.

"Tógadh an nóta sin a scríobh tú uaithi. Tá sé sna bólaí seo. Scaoil isteach mé."

Scaoil Ceimp an slabhra, agus tháinig de Híde isteach trína chúinge d'oscailt agus arbh fhéidir leis. Sheas sé sa halla, agus d'fhéach sé ar Cheimp agus an doras á athdhaingniú aige agus faoiseamh air. "Sciobadh an nóta as a láimh. Cuireadh a croí trasna uirthi. Tá sí thíos ag an stáisiún. Trína chéile. Tá sé sna bólaí seo. Cad faoi é?"

Lig Ceimp eascaine as.

"Nár mise an t-amadán," arsa Ceimp. "Ba chóir a fhios sin a bheith agam. Níl sé ach uair an chloig de shiúl na gcos ó Ghleann Bhaile na Manach. Cheana féin?"

"Cad atá ort?" arsa de Híde.

"Féach anseo!" arsa Ceimp, agus threoraigh sé isteach sa seomra staidéir é. Thug sé litir an Fhir Dhofheicthe do de Híde. Léigh de Híde í agus rinne sé feadaíl bhog. "Agus tus— ?" arsa de Híde.

"Mhol mé gaiste — mar a bheadh amadán," arsa Ceimp, "agus sheol mé an moladh leis an gcailín aimsire chuige."

Lig de Híde eascaine as freisin.

"Imeoidh sé leis," arsa de Híde.

"Ní imeoidh," arsa Ceimp.

Chualathas gloine á bríseadh ina smidiríní in airde staighre. Thug de Híde faoi deara loinnir airgid an ghunnáin bhig a bhí ag gobadh amach as póca Cheimp. "Sin í an fhuinneog in airde staighre!" arsa Ceimp agus thug sé de Híde leis. Chuala siad an dara torann agus iad fós ar an staighre. Nuair a bhain siad an seomra staidéir amach chonaic siad go raibh dhá fhuinneog as na trí fhuinneog ina smidiríní, go raibh leath an tseomra clúdaithe le gloine bhriste, agus go raibh cloch mhór amháin ina luí ar an ndeasc scríbhneoireachta. Stad an bheirt fhear sa doras, agus d'fhéach siad ar an bpraiseach. Lig Ceimp eascaine as arís, agus lena linn sin baineadh creathadh as an dtríú fuinneog agus thit sí ina triantáin ghéara mhantacha ghlioscarnacha ar fud an tseomra.

"Cad chuige é seo?" arsa de Híde.

"Tús atá ann," arsa Ceimp.

"An bhféadfaí dreapadh in airde anseo?"

"Ní dhéanfadh cat é," arsa Ceimp.

"Nach bhfuil dallóga ann?"

"Níl anseo. Na seomraí uile thíos staighre — Huló!"

Plab, agus ansin bualadh na cláir go trom thíos staighre. "Damnú air!" arsa Ceimp. "Ní foláir nó — sea — sin ceann de na seomraí leapa. Tá sé chun fuinneoga uile an tí a bhriseadh. Ach is amadán é. Tá na dallóga go léir dúnta, agus titfidh an ghloine lasmuigh. Gearrfar a chosa."

D'fhógair fuinneog eile a briseadh. Bhí an bheirt fhear ina seasamh ar an léibheann agus ionadh orthu. "Tá a fhios agam!" arsa de Híde. "Tabhair bata nó rud éigin dom, agus rachaidh mé síos staighre agus cuirfidh mé na gadhair fola ina dhiaidh. Cuirfidh sé sin múineadh air! Tá siad in aice láimhe — um dheich nóiméad—"

Rinneadh smidiríní d'fhuinneog eile.

"Nach bhfuil gunnán agatsa?" arsa de Híde.

Chuir Ceimp a lámh chun a phóca. Stad sé ansin. "Níl ceann agam — le spáráil ar aon chuma."

"Tabharfaidh mé ar ais é," arsa de Híde, "beidh tusa slán sábháilte anseo."

Bhí náire ar Cheimp gur dhiúltaigh sé don fhírinne, rud nach gnách leis, agus thug sé an t-arm dó.

"Tabharfaimid faoin ndoras," arsa de Híde.

Agus iad ina seasamh sa halla, chuala siad ceann d'fhuinneoga an chéad urláir ag briseadh agus ag titim chun talaimh. Chuaigh Ceimp chuig an doras agus thosnaigh sé ag oscailt na mboltaí gan torann a dhéanamh. Bhí a aghaidh ní ba mhílíthí ná mar a bhíodh de ghnáth. "Ní mór duit seasamh amach díreach," arsa Ceimp. Faoi cheann nóiméid eile, bhí de Híde ar leac an dorais agus bhí na boltaí á gcur ar ais isteach sna poill. Stad sé ar feadh nóiméid; bhraith sé ní ba chompordaí agus a dhrom leis an ndoras aige. Ansin, mháirseáil sé síos na céimeanna agus é ina sheasamh go díreach. Chuaigh sé trasna na faiche agus dhruid sé leis an ngeata. Ba chosúil gur shéid leoithne thar an bhféar. Ghluais rud éigin in aice leis. "Stad ansin," arsa Glór, agus stad de Híde láithreach agus d'fháisc sé a lámh ar an ngunnán.

"Abair leat," arsa de Híde, agus cuma mhílítheach agus ghruama air, agus gach néaróg ar tinneall.

"Déan rud orm ach dul ar ais isteach sa teach," arsa an Glór, agus é chomh duairc righin le glór de Híde.

"Gabh mo leithscéal," arsa de Híde go ciachánach, agus fhliuch sé a bheola lena theanga. Bhí an Glór chun tosaigh air ar chlé, dar leis. Abair dá rachadh sé sa seans agus urchar a scaoileadh?

"Cá bhfuil do thriall?" arsa an Glór, agus ghluais an bheirt acu go tapaidh agus chonacthas splanc solais ghréine ó phóca oscailte de Híde.

Rinne de Híde athrach intinne agus machnamh. "Is fúm féin amháin é," arsa seisean, "cá bhfuil mo thriall." Bhí na focail fós ar a bheola, nuair a cuireadh lámh um a mhuineál, d'airigh sé sonc glúine ina dhrom, agus thit sé i leith a chúil. Tharraing sé an gunnán amach go hamscaí agus scaoil sé urchar gan chúram, agus i bhfaiteadh na súl buaileadh sa phus é agus baineadh an gunnán as a láimh. Rinne sé iarracht in aisce breith ar ghéag shleamhain agus éirí ina sheasamh ach thit sé siar. "Damnú!" arsa de Híde. Lig an Glór scairt gháire as. "Mharóinn anois thú mura mbeinn ag cur urchair amú," arsa an Glór. Chonaic sé an gunnán ar foluain san aer, um shé troithe uaidh, agus é dírithe ina threo.

"Abair leat," arsa de Híde, agus é ag suí aniar.

"Éirigh," arsa an Glór.

Sheas de Híde.

"Aire," arsa an Glór, agus ansin de ghlór fíochmhar, "Ná triail aon chleasaíocht a dhéanamh. Cuimhnigh gur féidir liomsa d'aghaidh a fheiscint fiú mura féidir leatsa mise a fheiscint. Ní mór duit filleadh ar an dteach."

"Ní scaoilfidh sé isteach mé," arsa de Híde.

"Is trua sin," arsa an Fear Dofheicthe. "Níl aon argóint agam leatsa."

D'fhliuch de Híde a bheola arís. Bhain sé a shúile den ghunnán agus chonaic sé an fharraige i gcéin, í dúghorm agus dorcha faoi ghrian an mheáin lae, chonaic sé an gleann mín glas, chonaic sé aill bhán an Rois, agus an baile lán de dhaoine, agus thuig sé láithreach go raibh an saol go diail. Tháinig a shúile ar ais chuig an rud beag miotail idir an talamh agus an spéir a bhí sé troithe uaidh. "Cad a dhéanfaidh mé?" ar seisean go gruama.

"Cad a dhéanfaidh mise?" arsa an Fear Dofheicthe. "Cuirfidh tú fios ar chúnamh. Níl le déanamh agat ach filleadh."

"Déanfaidh mé iarracht. Má scaoileann sé isteach mé, an ngeallfaidh tú dom gan ruathar a thabhairt faoin ndoras?"

"Níl aon argóint agam leatsa," arsa an Glór.

Bhrostaigh Ceimp in airde staighre ach ar scaoil sé de Híde amach, agus bhí sé ar a ghogaide i measc na smidiríní gloine agus ag féachaint go haireach thar leac fuinneoige an tseomra staidéir mar a bhfaca sé de Híde ina sheasamh ag labhairt leis an Té neamhfheicthe. "Cén fáth nach scaoileann sé urchar?" arsa Ceimp leis féin de chogar. Ansin ghluais an gunnán beagán agus scal léas solais ghréine isteach i súile Cheimp. Scáthaigh sé a shúile agus rinne sé iarracht foinse an tsolais a aimsiú.

"Ní foláir nó gur thug de Híde an gunnán dó faoin am seo," ar seisean.

"Geall dom gan ruathar a thabhairt faoin ndoras," arsa de Híde. "Ná déan dánaíocht orm. Tabhair deis dom."

"Téigh ar ais isteach sa teach. Deirim leat go neamhbhalbh nach dtabharfaidh mé aon gheallúint."

208

Ba chosúil go ndearnadh cinneadh de Híde dó. Thiontaigh sé i dtreo an tí agus shiúil sé go mall lena lámha laistiar de. D'fhair Ceimp é — bhí ionadh air. D'imigh an gunnán as radharc, fuair sé radharc arís air, d'imigh as radharc arís, agus ba rud beag dorcha é ansin a lean de Híde. Thit rudaí amach go han-tapaidh ansin. Phreab de Híde i leith a chúil, thiontaigh sé, rinne sé iarracht breith ar an rud beag sin, chlis air, chaith sé a lámha in airde san aer agus thit sé i mullach a chinn agus chonacthas púirín deataigh ghoirm san aer. Níor chuala Ceimp fuaim gunnáin. Rinne de Híde lúbarnaíl, d'ardaigh sé a leathlámh, thit sé chun tosaigh, agus ní raibh gíog ná míog as ansin.

D'fhan Ceimp, ar feadh scaithimh, ag stánadh ar mheon nóscumaliom de Híde. Bhí an tráthnóna sin an-bhrothallach agus calm, ba chosúil nach raibh rud ar bith ar domhan ag corraí seachas cúpla féileacán buí a bhí ag eitilt i ndiaidh a chéile tríd an scrobarnach idir an teach agus geata an bhóthair. Bhí de Híde ina luí ar an bhfaiche in aice an gheata. Bhí dallóga na dtithe go léir ar feadh bhóthar an chnoic dúnta, ach i dteach samhraidh beag uaine amháin bhí fíor bhán le feiscint, seanduine ina chodladh is cosúil. Scrúdaigh Ceimp an limistéar timpeall an tí féachaint an bhfeicfeadh sé gunnán, ach ní raibh tásc ná tuairisc air. Luigh a shúile ar de Híde arís. Bhí an cluiche faoi lánseol.

Ansin chualathas cnagadh ar an ndoras tosaigh agus cloigín an dorais á bhualadh, agus d'éirigh sé an-challánach, ach de réir threoracha Cheimp bhí na seirbhísigh tar éis iad féin a ghlasáil isteach ina seomraí. Bhí tost ann ina dhiaidh sin. Bhí cluas le

209

héisteacht ar Cheimp agus ansin thosnaigh sé ag gliúcaíocht go haireach amach na trí fhuinneog, ceann i ndiaidh a chéile. Chuaigh sé go barr an staighre agus sheas sé ann ag éisteacht go míshocair. Bhí an bior tine ina láimh aige, agus chuaigh sé síos staighre chun glais na bhfuinneog ar urlár na talún a scrúdú arís. Bhí gach rud slán agus ciúin. Chuaigh sé in airde go dtí an t-urlár uachtair arís. Bhí de Híde ina luí gan chorraí ar imeall an ghairbhéil mar ar thit sé. Bhí bean an tí agus beirt phóilíní ag teacht aníos an bóthar in aice na dtithe samhraidh.

Bhí gach rud ciúin calm. Bhí an chuma ar an scéal go raibh an triúr acu ag taisteal go malltriallach. Chuimhnigh sé ar a mbeadh ar siúl ag a chéile comhraic.

Baineadh geist as. Chuala sé plab thíos staighre. Stad sé ar feadh nóiméid agus chuaigh sé síos staighre arís. Bhí torann buillí troma agus adhmad á scoilteadh le clos ar fud an tí, go hobann. Chuala sé plab agus cling scriosta bhacáin iarainn na ndallóg. Chas sé an eochair agus d'oscail sé doras na cistine. Agus é á dhéanamh sin, tháinig na dallóga, á scoilteadh agus á smísteáil, ag eitilt isteach. Baineadh stangadh as. Bhí fráma na fuinneoige slán, seachas aon trasnán amháin, agus ní raibh an ghloine fós sa bhfráma ach fiacla beaga. Briseadh na dallóga isteach le tua, agus anois bhí an tua á tarraingt anuas ina mbuillí móra ar fhráma na fuinneoige agus ar na barraí iarainn a bhí a cosaint. Léim an tua i leataobh de gheit agus d'imigh sé as radharc. Chonaic sé an gunnán ina luí ar an gcosán lasmuigh, agus ansin léim an t-arm beag in airde san aer. Phreab sé i leith a chúil. Scaoileadh an gunnán ábhairín ró-dhéanach, agus d'eitil scealp d'ursain an dorais thar a cheann agus an doras á dhúnadh aige. Dhún sé an doras de phlab, agus chuala sé an Grifíneach ag liúireach agus ag gáire ar an dtaobh eile de. Ansin, leanadh de bhuillí na tua agus de smísteáil agus de scoilteadh an adhmaid.

Sheas Ceimp sa dorchla agus é ag iarraidh a mharana a dhéanamh. I bhfaiteadh na súl bheadh an Fear Dofheicthe sa chistin. Ní sheasfadh an doras nóiméad, agus ansin—

Chualathas clingireacht ag an doras tosaigh arís. Na póilíní a bheadh ann. Rith sé isteach sa halla, chuir sé an slabhra in airde, agus d'oscail sé na boltaí. Thug sé ar an gcailín labhairt sular scaoil sé leis an slabhra, agus thit an triúr isteach sa teach ina gcarnán, agus dhún Ceimp an doras de phlab arís.

"An Fear Dofheicthe!" arsa Ceimp. "Tá gunnán aige, agus dhá urchar — fágtha. Mharaigh sé de Híde. Chaith sé é pé scéal é. Nach bhfaca sibh ar an bhfaiche é? Tá sé ina luí ann."

"Cén duine?" arsa duine de na póilíní.

"de Híde," arsa Ceimp.

"Thángamar isteach an cúlbhealach," arsa an cailín.

"Cén smiotaíl é sin?" arsa duine de na póilíní.

"Tá sé sa chistin — nó beidh. D'aimsigh sé tua—"

Bhí an teach lán de challán bhuillí an Fhir Dhofheicthe ar dhoras na cistine. Stán an cailín i dtreo na cistine, tháinig ballchrith uirthi, agus chúlaigh sí isteach sa seomra bia. Rinne Ceimp iarracht an scéal a mhíniú le habairtí briste. Chuala siad doras na cistine á scoilteadh.

"Gabhaigí liom," arsa Ceimp, agus é lán d'fhuinneamh agus bhrúigh sé na póilíní isteach doras an tseomra bia.

"Bior tine," arsa Ceimp, agus rith sé anonn chuig an iarta. Thug sé an bior tine a bhí ina láimh aige roimhe sin don phóilín agus an ceann a bhí sa seomra bia don phóilín eile. Phreab sé siar go hobann.

"Seachain!" arsa póilín amháin, chrom sé a cheann, agus bhlocáil sé an tua leis an mbior tine. Caitheadh an t-urchar leathdheiridh as an ngunnán agus polladh péintéireacht luachmhar de chuid Sidney Cooper. Tharraing an dara póilín an bior tine a bhí aige anuas ar an ngunnán, mar a smiotfadh duine beach, agus thit sé chun an talaimh.

Lig an cailín liú aisti a luaithe a thosnaigh an t-iomrascáil, sheas sí cois teallaigh ar feadh nóiméid agus í ag liúireach agus ansin rith sí anonn chun na dallóga a oscailt — bhí súil aici éalú tríd an bhfuinneog bhriste, ní foláir.

Chúlaigh an tua isteach sa dorchla, agus thit sé síos nó go raibh sí um dhá throigh os cionn an talaimh. Bhí siad in ann análú an Fhir Dhofheicthe a chlos. "Seasaigí siar, an bheirt agaibh," ar seisean. "Is é Ceimp atá uaim."

"Tusa atá uainne," arsa an chéad phóilín, agus thug sé truslóg chun tosaigh agus sháigh sé an t-aer, mar a raibh an Glór, lena bhior tine. Ní foláir nó gur thit an Fear Dofheicthe i leith a chúil, agus bhuail sé seastán na scáthanna báistí.

Ansin, agus an póilín ag titim de thuisle tar éis dó buille a tharraingt, tharraing an Fear Dofheicthe buille dá thua, bascadh clogad an phóilín, agus cuireadh ag guairneáil ar an urlár é ag ceann staighre na cistine. Ach tharraing an dara póilín buille lena bhior tine féin laistiar den tua agus bhuail sé rud éigin bog a rinne cnagadh. Chualathas uaill phéine agus thit an tua chun an talaimh. Tharraing an póilín buille arís ach níor bhuail sé aon ní; chuir sé a chos ar an dtua, agus tharraing sé buille eile. Sheas sé ann ansin, an bior tine beartaithe aige agus é ag éisteacht go géar féachaint an gcloisfeadh sé gluaiseacht.

Chuala sé fuinneog an tseomra bia á hoscailt agus torann coiscéimeanna. D'iompaigh a chompánach é féin ar a dhrom agus shuigh sé aniar, agus fuil ag sreabhadh síos idir a shúil agus a chluas. "Cá bhfuil sé?" arsa an fear a bhí ar an urlár.

"Níl a fhios agam. Bhuail mé é. Tá sé ina sheasamh i mball éigin sa halla. Murar éalaigh sé amach tharat. A Dhochtúir Ceimp — sir."

Tost.

"A Dhochtúir Ceimp," arsa an póilín arís de liú.

Thosnaigh an dara póilín ag streachailt in airde ar a chosa. Sheas sé. Chualathas trup, ar éigean, na gcos nocht ar staighre na cistine. "Iap!" arsa an chéad phóilín de bhéic, agus theilg sé an bior tine uaidh. Rinne sé smidiríní de bhrac beag gáis.

Bhí an chuma air go raibh sé chun an Fear Dofheicthe a leanúint síos an staighre. Tháinig athrach intinne air ansin agus sheas sé isteach sa seomra bia.

"A Dhochtúir Ceimp—" ar seisean, agus thit sé dá thost.

"Is laoch é an Dochtúir Ceimp," ar seisean, agus a chompánach ag féachaint thar a ghualainn.

Bhí fuinneog an tseomra bia ar leathadh agus ní raibh tásc ná tuairisc ar Cheimp ná ar an gcailín aimsire.

Bhí tuairim an dara póilín de Cheimp tearc agus soiléir.

CAIBIDIL XXVIII
SEALGAIREACHT AN tSEALGAIRE

Bhí Mr Mac Eilis, an chomharsa ba ghaire do Cheimp sna tithe samhraidh, ina chodladh ina theach samhraidh nuair a thosnaigh léigear theach Cheimp. Bhí Mr Mac Eilis i measc an mhionlaigh dhiongbháilte nár ghéill in aon chor 'don ráiméis go léir' faoin bhFear Dofheicthe. Maidir lena bhean chéile, áfach, ghéill sise dó, mar a chuirfí i gcuimhne dó ina dhiaidh sin. Ba chuma leis ach siúl sa ghairdín amhail is nár tharla aon ní, agus chuaigh sé a chodladh san iarnóin mar ba ghnách leis leis na blianta. Chodail sé le linn bhriseadh na bhfuinneog, agus ansin dhúisigh sé de gheit agus amhras air go raibh rud éigin mícheart. D'fhéach sé anonn ar theach Cheimp, chuimil sé a shúile agus d'fhéach sé arís. Chuir sé a dhá chois ar an urlár ansin agus shuigh sé ar cholbha na leapa agus cluas le héisteacht air. Dúirt sé go raibh sé damnaithe, ach bhí an rud aisteach le feiscint i gcónaí aige. Bhí an chuma ar an dteach gur tréigeadh roinnt seachtaíní roimhe sin é — tar éis círéibe fíochmhaire. Bhí an uile fhuinneog briste, agus bhí na dallóga laistigh de gach fuinneog, seachas fuinneoga an tseomra staidéir ar an urlár uachtair, dúnta.

"Thabharfainn an leabhar go raibh sé go breá" — d'fhéach sé ar a uaireadóir—"fiche nóiméad ó shin."

D'airigh sé callán tomhaiste agus clingireacht gloine á briseadh i bhfad i gcéin. Shuigh sé go béal-oscailte ansin agus chonaic sé rud ní b'iontaí fós. Osclaíodh dallóga fhuinneog an tseomra suite go fíochmhar, agus chonaic sé an cailín aimsire, a hata agus a héadaí siúil uirthi, agus í ag iarraidh sais na fuinneoige a ardú go fiánta. Sheas fear in aice léi go hobann agus lámh chúnta á tabhairt aige di — An Dr. Ceimp! I bhfaiteadh na súl, bhí an fhuinneog ar leathadh agus bhí an cailín aimsire ar a dícheall ag iarraidh éalú aisti; thit sí i mullach a cinn agus as radharc isteach sa scrobarnach. Sheas Mr Mac Eilis in airde, agus é ag ligean eascainí leis na rudaí iontacha a chonaic sé. Chonaic sé Ceimp ina sheasamh ar leac na fuinneoige, léim sé ón bhfuinneog, agus bhí sé le feiscint arís láithreach agus é ag rith ar feadh cosáin sa scrobarnach agus ag cromadh chun talaimh le linn reatha dó, mar a bheadh fear nárbh áil leis go bhfeicfí é. Chuaigh sé ó radharc laistiar de labarnam, agus chonaic sé arís é agus é ag dreapadh thar sconsa idir an teach agus an gleann. Ar iompú boise thit sé thar an sconsa agus d'imigh sé de ruathar síos an fhána i dtreo Mhr Mhic Eilis.

"A Thiarcais," arsa Mr Mac Eilis de bhéic agus rith smaoineamh leis; "is é an bithiúnach sin d'Fhear Dofheicthe atá ann! Tá sé fíor, i ndeireadh na dála!"

Chomh fada agus a bhain sé le Mr Mac Eilis b'ionann smaointe dá leithéidí sin a bheith aige agus cur chun gnímh, agus baineadh stangadh as a chócaire a bhí ag faire air ón bhfuinneog thuas staighre nuair a chonaic sé é ag teacht faoi lánruathar i dtreo an tí ag naoi míle san uair. Chualathas doirse á bplabadh, cingireacht cloigíní, agus guth Mhr Mhic Eilis ag búireach mar a bheadh tarbh. "Dúntar na doirse, dúntar na fuinneoga, dúntar gach rud! — tá an Fear Dofheicthe chugainn!" Líonadh an teach le liúireach agus le treoracha agus le trup coiscéimeanna a bhí ag imeacht ar mire. Rith sé féin anonn chuig na fuinneoga Francacha a raibh radharc amach ar an vearanda acu; fad a bhí sé á dhéanamh sin, chonacthas cloigeann agus guaillí agus glúine Cheimp ar imeall sconsa an ghairdín. I bhfaiteadh na súl bhí Ceimp tar éis treabhadh tríd an asparagas agus bhí sé ag rith trasna na faiche leadóige faoi dhéin an tí.

"Ní ligfear isteach thú," arsa Mr Mac Eilis agus na boltaí á ndúnadh aige. "Tá an-bhrón orm má tá sé sa tóir ort, ach ní ligfear isteach thú!"

Chonacthas Ceimp agus cuma sceimhlithe ar a aghaidh gar don ghloine agus é ag cnagadh ar an bhfuinneog Fhrancach agus é á creathadh ar mire. Ansin, nuair ba léir dó gur obair in aisce a bhí ann, rith sé ar feadh an vearanda, léim sé thar a dheireadh agus timpeall leis chun cnagadh a dhéanamh ar an dtaobhdhoras. Rith sé leis ansin timpeall tríd an taobhgheata go haghaidh thosnaigh an tí, agus dá réir sin amach ar bhóthar an chnoic. Agus Mr Mac Eilis ag stánadh amach an fhuinneog — cuma an uafáis ar a aghaidh — ba ar éigean a thug sé faoi deara gur imigh Ceimp as radharc, óir bhí ciseach á dhéanamh anonn agus anall den asparagas faoi bhun cos nár fhéidir a fheiscint. Leis sin theith Mr Mac Eilis go pras suas an staighre agus ní raibh aon radharc aige ar an gcuid eile den tóraíocht. Ach nuair a chuaigh sé thar fhuinneog an staighre, chuala sé an taobhgheata á phlabadh.

Nuair a tháinig sé amach ar bhóthar an chnoic, thug Ceimp aghaidh go nádúrtha síos an cnoc, agus dá bhrí sin bhí sé héin anois ag rith sa rás a bhí sé a fhaire go géar óna sheomra staidéir san urlár uachtair ceithre lá roimhe sin. Rith sé go maith, d'fhear nach ndearna aon traenáil, agus cé go raibh a aghaidh mílítheach agus fliuch, bhí a intinn stuama. Rith sé ina thruslóga móra, agus aon phaiste garbh talún, aon áit a raibh clocha géara starrógacha ar an dtalamh roimhe, nó bloghra gloine glioscarnach, chuaigh sé tríd agus d'fhág sé na cosa lomnochta dofheicthe laistiar de chun a gconair féin a dhéanamh amach.

Den chéad uair ina shaol, fuair Ceimp amach go raibh bóthar an chnoic rí-fhada agus iargúlta agus go raibh imeall an bhaile a bhí thíos an bun an chnoic i bhfad i gcéin uaidh. Ní raibh modh ba mhoille ná ba phianmhara dul chun cinn riamh ná an reathaíocht. Bhí an chuma ar na tithe samhraidh go léir, a bhí ina dtost faoi ghrian an iarnóin, go raibh siad faoi ghlas; níorbh aon ionadh dó é sin, óir ba é féin a d'ordaigh é. Ach pé ar bith é, ba dhóigh le duine go mbeidís san airdeall ar a leithéid seo d'imeacht. Bhí an baile ag éirí in airde roimhe, bhí an fharraige imithe ó radharc laistiar de, agus bhí na daoine thíos faoi ag corraí. Bhí tram ag baint bhun an chnoic amach. Thairis sin arís bhí stáisiún na bpóilíní. Ar choiscéimeanna a chuala sé laistiar de? Ruathar.

Bhí na daoine thíos ag stánadh air, bhí duine nó beirt ag rith, agus bhí a anáil ag tosnú ag ciachán ina scornach. Bhí an tram sách gar dó anois, agus bhí na "Cruicéadóirí Croíúla" ag cur barraí ar na doirse. Laistiar den tram bhí cuaillí agus carnáin ghairbhéil

218

— na hoibreacha draenála. Rith smaoineamh leis ar feadh scaithimh léimint isteach sa tram agus na doirse a dhúnadh, ach ansin bheartaigh sé ar rith chuig stáisiún na bpóilíní. Faoi cheann nóiméid rith sé thar dhoras na "Cruicéadóirí Croíúla," agus bhí sé i gceann seanchaite na sráide, gan duine ná deoraí uime. D'fhan tiománaí an tram agus a chúntóir — iad ina stad de bharr na tóraíochta mire — ag stánadh rompu agus na capaill bainte den tram acu. Tamall slí ina dhiaidh sin chonacthas náibhithe laistiar de na carnáin ghairbhéil.

Mhaolaigh ar a luas beagán, agus ansin chuala sé an trup tapaidh laistiar de agus léim sé chun tosaigh arís. "An Fear Dofheicthe!" ar seisean de bhéic leis na náibhithe, agus rinne sé geáitsíocht éigin, agus léim sé thar an bpoll tochailte agus d'fhág sé buíon stócach idir é agus an duine a bhí sa tóir air. Rinne sé athrach intinne faoi stáisiún na bpóilíní agus chas sé isteach ar thaobhshráid bheag, rith sé thar chairt ghrósaera, stad sé ar feadh um an deichiú cuid de shoicind ag doras siopa milseán, agus ansin rith sé i dtreo lána a bhí i gceangal le Sráid an Chnoic arís. Bhí beirt nó triúr leanaí beaga ag súgradh ann, agus scaipeadh de liúireach iad ar a fheiscint dóibh, agus chonacthas máithreacha imníocha ag dóirse agus ag fuinneoga a osclaíodh láithreach. Rith sé amach ar Shráid an Chnoic arís, um thrí chéad slat ó dheireadh iarnród an tram, agus d'airigh sé ruaille buaille láithreach agus chonaic sé daoine ag rith.

Thug sé sracfhéachant suas an tsráid i dtreo an chnoic. Gan ach dosaen slat uaidh bhí náibhí mór ag rith, bhí rabhartha eascainí le clos agus bhí sé ag luascadh a shluaiste go fíochmhar, agus bhí cigire an tram sna sála airsean agus a dhoirne á luascadh aigesean. Thuas faoin tsráid, lean daoine eile an bheirt sin agus iad ag luascadh a ngéag agus ag liúireach. Thíos i dtreo an bhaile bhí fir agus mná ag rith, agus chonaic sé go soiléir go raibh fear amháin ag teacht amach as doras siopa agus maide ina láimh aige. "Scaipigí amach! Scaipigí amach!" arsa duine éigin de bhéic. Thuig Ceimp láithreach an t-athrú a bhí tagtha ar an dtóraíocht. Stad sé, agus d'fhéach sé laistiar de agus saothar anála air. "Tá sé gar dúinn anseo!" ar seisean de bhéic. "Déanaigí líne trasna—"

Buaileadh go trom faoina chluas é, agus cuireadh ag guairneáil é, agus rinne sé iarracht tiontú arís chun a chéile comhraic neamhfheicthe. D'éirigh leis fanúint ar a chosa, agus bhuail sé an t-aer in aisce. Ansin buaileadh arís faoina ghiall é, agus caitheadh i mullach a chinn ar an dtalamh é. Ar iompú boise bhí glúin á sá ina dhiafram, agus bhí greim ag dhá láimh ar a scornach, ach bhí greim láimhe amháin ní ba laige ná an lámh eile; rug sé greim ar chaol na lámh, chuala sé uaill phéine óna ionsaitheoir, agus ansin chonaic sé sluasaid an náibhí á luascadh tríd an aer os a chionn agus buaileadh rud éigin de phlab bodhar. Mhothaigh sé braon éigin ar a aghaidh. Scaoileadh an greim a bhí ar a scornach go hobann, agus le lán a dhíchill d'éirigh le Ceimp é héin a shaoradh, rug sé ar ghualainn lag, agus thiontaigh sé ar a bholg. Rug sé greim ar uillinneacha neamhfheicthe a bhí gar don talamh. "Tá sé agam!" arsa Ceimp de bhéic. "Cabhair! Cabhair —

coinnígí greim air! Tá sé ar an dtalamh! Coinnígí greim ar a chosa!"

Faoi cheann soicind, bhí daoine ag rith chuig láthair na hiomrascála, agus ní thógfaí ar dhuine a bheadh ag siúl an bóthar a cheapadh go raibh cluiche rí-fhíochmhar rugbaí ar siúl. Agus ní dhearnadh liúireach ar bith tar éis bhéic Cheimp — ní raibh le clos ach buillí agus cosa agus anáil shaothrach.

Ansin de bhun lán a nirt, chaith an Fear Dofheicthe cúpla duine dá chéilí comhraic de agus d'éirigh sé ar a ghlúine. Bhí greim an fhir bháite ag Ceimp ar an bhfear Neamhfheicthe chun tosaigh, agus bhí dosaen lámh eile ag breith air, á fháisceadh agus á stracadh. Rug cigire an tram go hobann ar an muineál agus ar na guaillí agus tharraing sé siar é.

Thit carn na bhfear iomrascála agus tiontaíodh bunoscionn iad. Bhíothas á chiceáil go fíochmhar, is eagal liom a rá. Chualathas scread fhiain ansin, "Trócaire! Trócaire!" a chuaigh in éag go mear nó nach raibh le clos ach torann mar a bheadh duine á thachtadh.

"Seasaigí siar, a amadána!" arsa glór múchta Cheimp, agus tosaíodh ar dhaoine a bhrú siar. "Tá sé leonta, a deirim. Seasaigí siar!"

Bhí fuadar ann ar feadh tamaillín agus spás á ghlanadh, agus ansin chonaic ciorcal na ngnúiseanna díocasacha an dochtúir ar a ghlúine, ar foluain ba chosúil, um chúig horlaí déag os cionn an talaimh, agus géaga dofheicthe á gcoinneáil ar an dtalamh aige. Bhí greim ag constábla, a bhí laistiar de, ar rúitíní dofheicthe.

221

"Ná scaoil leo," arsa an náibhí mór de bhéic, agus sluasaid fhuilsmálta ina láimh aige; "tá sé ag ligean air."

"Níl sé ag ligean air," arsa an dochtúir, agus a ghlúin á hardach go haireach aige; "agus coinneoidh mise greim air." Bhí a aghaidh basctha agus ag deargadh; labhair sé go balbh óir bhí a liopa ag cur fola. Scaoil sé leis an ngreim a bhí aige ar láimh amháin agus ba chosúil go raibh aghaidh á cuimilt aige. "Tá an aghaidh fliuch," ar seisean. Agus ansin, "Go bhfóire Dia orainn!"

Sheas sé in airde go hobann agus ansin chuaigh sé ar a ghlúine in aice leis an neach neamhfheicthe. Bhí daoine ag brú agus ag sá a chéile, chualathas torann coiscéimeanna troma agus daoine nua ag teacht i leith, rud a chuir brú breise ar an slua. Bhí daoine ag teacht amach as tithe um an dtaca sin. Bhí doirse an tábhairne, "Na Cruicéadóirí Croíúla" ar leathadh. Is beag a dúradh.

Thosnaigh Ceimp ag méirínteacht agus ba chosúil go ndeachaigh a lámh trí aer folamh. "Níl sé ag análú," ar seisean, agus ansin, "Ní airím a chroí. Tá a chliathán — obh!"

Lig bean a bhí ag gliúcaíocht amach faoi ghéag an náibhí mhóir scread ghéar aisti go hobann. "Féachaigí ansin!" ar sise, agus shín sí a méar rocach amach.

D'fhéach gach éinne mar a raibh a méar ag síneadh agus chonaic siad imlíne láimhe, ar éigean, lámh a bhí trédhearcach agus arbh fhéidir na féitheanna agus na hartairí agus na cnámha agus na néaróga a dhéanamh amach, lámh a bhí faon agus bos fúithi. D'éirigh sí broghach agus teimhneach agus iad ag féachaint uirthi.

"Huló!" arsa an constábla de bhéic. "Tá a chosa le feiscint anseo!"

Agus dá réir sin, lean an cholainn aduain sin uirthi ag claochlú, ag tosnú lena lámha agus lena cosa agus ag leathadh ar feadh a géag go dtí croílár na colainne. Bhí sé mar a bheadh nimh á leathadh go mall. Ba iad na néaróga beaga bána a bhí le feiscint ar dtúis, sceitse faonliath géige, ansin na cnámha gloiniúla agus na hartairí eanglamtha, ansin an fheoil agus an craiceann; deilbh cheoch ar dtúis, agus ansin í ag éirí ní ba dhlúithe agus ní ba theimhní. Níorbh fhada go raibh siad in ann a bhrollach basctha agus a ghuaillí a fheiscint mar aon le himlíne lag a chuntanóis snoite agus bhasctha.

Nuair a sheas an slua siar ar deireadh ionas go bhféadfadh Ceimp seasamh, b'iúd ar an dtalamh colainn lomnocht, thruamhéileach, bhasctha, bhrúite fir óig a bhí um thríocha bliain d'aois. Bhí a ghruaig agus a mhalaí bán — ní léithe na sean-aoise, ach báine an bhánaigh — agus bhí a shúile amhail gairnéad. Bhí a lámha ina ndoirne, a shúile ar leathadh, agus bhí cuma na feirge agus na díomá ar a ghnúis.

"Clúdaigh a aghaidh!" arsa an fear. "In ainm Dé, clúdaigh a aghaidh!" agus an triúr leanaí beaga a bhí ag brú chun tosaigh tríd an slua, tiontaíodh ar a sála iad agus díbríodh ón láthair iad.

Thug duine éigin braillín amach ó "Na Cruicéadóirí Croíúla" agus tar éis a chlúdaithe, thug siad isteach sa tábhairne sin é. Agus ba san áit sin, ar leaba sheanchaite i seomra leapa suarach faonsolais, i láthair slua daoine aineolacha corraithe gan taise gan trua, a tháinig deireadh tubaisteach le beatha aduain uafásach an Ghrifínigh, an chéad fhear a rinne a cholainn dofheicthe, an fisiceoir ba thréithí ar domhan riamh, agus a cholainn basctha brúite.

IARFHOCAL

Sin deireadh scéal thurgnaimh aisteacha ainbheartacha an Fhir Dhofheicthe. Agus más áil leat eolas breise a fháil air ní mór duit cuairt a thabhairt ar thábhairne beag in aice le Port Oirise agus labhairt leis an dtiarna talún. Níl ar chomhartha aitheantais an tábhairne ach hata agus buataisí, agus is ionann ainm an tábhairne sin agus ainm an scéil seo. Torcán de dhuine é an tiarna talún a bhfuil biorshrón chruinn, gruaig ghuaireach, agus aghaidh sceadach fholúil aige. Má ólann tú do dhóthain ann, inseoidh sé duit faoin uile ní a tharla dó tar éis an ama sin, agus faoin gcaoi a ndearna na dlíodóirí iarracht an stórchiste a aimsíodh ina sheilbh a bhaint de.

"Nuair a fuair siad amach nárbh fhéidir leis a chruthú cér leis an t-airgead," ar seisean, "nach ndearna siad iarracht a rá gur chiste fionnta a bhí ionam! An bhfuil cuma ciste fionnta ormsa? Agus ansin thug fear uasal gine san oíche chun an scéal a insint ag Ionad Ceoil na hImpireachta, 'Gach rud — inis dóibh i do chuid focal féin é — seachas focal amháin."

Agus más mian leat cur isteach go grod ar a chuimhní cinn, is féidir leat a fhiafraí de an raibh trí leabhar nótaí lámhscríofa sa scéal. Admhaíonn sé go raibh agus míníonn sé an scéal agus deir sé go gceapann cách gur aige-sean atá siad! Ach go bhfóire Dia ort! Ní aige atá siad. "Ba é an Fear Dofheicthe a thóg iad chun a gcur i bhfolach nuair a theith mé i dtreo Phort Oirise. Ba é an Mr Ceimp sin a chuir in iúl do dhaoine gur agamsa a bhí siad."

Agus tosaíonn sé ag déanamh a mharana ansin, stánann sé ort, tosaíonn sé ag útamáil le gloiní, agus fágann sé an beár.

Baitsiléir atá ann — béasa baitsiléara a bhí aige riamh, agus níl aon bhean sa teach. Úsáideann sé cnaipí os comhair an tsaoil — bítear ag súil leis uaidh — ach in áiteanna nach bhfeictear é, maidir le gealasacha mar shampla, úsáideann sé corda i gcónaí. Ní bhaineann fiontar ar bith le riaradh an tí, ach baineann cuibhiúlacht leis. Gluaiseann sé go mall, agus is smaointeoir iontach é. Ach tá an ghráin aige ar an eagna agus ar bharainn mheasúil faoin mbaile, agus sháródh an t-eolas atá aige ar bhóithre Dheisceart Shasana eolas Cobbett.

Agus maidineacha Domhnaigh, gach maidin Domhnaigh, ó cheann ceann na bliana, agus an tábhairne dúnta don saol lasmuigh, agus gach oíche tar éis a deich a chlog, téann sé isteach sa pharlús lena ghloine biotáille agus braoinín uisce inti. Leagann sé síos í, cuireann sé an doras faoi ghlas, scrúdaíonn sé na dallóga agus féachann sé faoin mbord fiú. Agus nuair a bhíonn sé sásta go bhfuil sé as féin, baineann sé an glas den chófra agus de bhosca sa chófra sin agus de tharraiceán sa bhosca sin, agus baineann sé amach trí imleabhar faoi chlúdach leathair donn, agus leagann sé go sollúnta i lár an bhoird iad. Tá na clúdaigh síonchaite agus tá lí ghlas algach ar a gciumhaiseanna — óir chaith siad tréimhse i ndíog agus bhain uisce broghach an dúch de roinnt leathanach. Suíonn an tiarna talún ina chathaoir uilleann, líonann sé a ghliúc go mall — é ag stánadh ar na leabhair ar feadh tamaill. Ansin tarraingíonn sé ceann díobh chuige agus osclaíonn sé é agus tosaíonn sé ag déanamh staidéir air — na leathanaigh á n-iompú anonn agus anall aige.

Cuireann sé púic ar a mhalaí agus bogann sé a bheola go pianmhar. "Heics, dó beag in airde san aer, cros agus fidil-di-dí. A Thiarcais! Nach aige a bhí an mheabhair!"

Ligeann sé a scíth ansin agus síneann sé siar, agus caochann sé a shúile tríd an toit trasna an tseomra le rudaí a bheadh dofheicthe ag súile eile. "Lán de rúin," a deir seisean. "Rúin iontacha!

"Ach a bhfaighidh mé tuiscint orthu — *a Thiarcais*!

"Ní dhéanfainn mar a rinne seisean; dhéanfainn — bhuel!" Baineann sé smailc as a phíopa.

Tosaíonn sé ag aislingeacht, an aisling iontach is bonn lena shaol. Agus cé go ndearna Ceimp tóraíocht de shíor, níl a fhios ag duine ná deoraí, seachas an tiarna talún, go bhfuil na leabhair sin ann, ina bhfuil rún na dofheictheachta agus dosaen rún aduain eile. Agus ní bheidh a fhios ag duine ná deoraí eile fúthu nó go bhfaighidh sé bás.

Logainmneacha sa scéal

An Chopóg, *Burdock*

An Dobharghleann, *Adderdean*

An Ghealchathair, *Brighton*

An tArdbhaile Theas, *South Hampton*

Baile Orsa, *Horsham*

Baile Ipa, *Iping*

Baile Oistín, *Hastings*

Bhuicstíd, *Wicksteed*

Bóthar Chúirt Bhaile Tota, *Tottenham Court Road*

Bun na Raithní, *Fern Bottom*

Cearnóg Bhaile Thaibhe, *Tavistock Square*

Cearnóg Bhlúmboraí, *Bloomsbury Square*

Cearnóg Ruiséil, *Russell Square*

Cnoc an tSabhaircín, *Primrose Hill*

Cúl Dín, *Halstead*

Doire Driseáin, *Bramblehurst*

Droichead Sidder, *Sidderbridge*

Gleann Bhaile na Manach, *Hintondean*

Greanoiris, *Chesilstowe*

Lána Drúraí, *Drury Lane*

Lána Mhichíl Naofa, *St. Michael's Lane*

Margadh Ghairdín an Chlochair, *Covent Garden Market*

Port na Copóige, *Port Burdock*

Port Oirise, *Port Stowe*

Sráid Alban, *Albany Street*

Sráid an Ghabhair, *Gower Street*

Sráid Áth an Daimh, *Oxford Street*

Sráid Átha Bede, *Bedford Street*

Sráid Mhór Pháirc Titch, *Great Titchfield Street*

Sráid Mhór Phortchríche, *Great Portland Street*

Sráid Mhór Ruiséil, *Great Russell Street*

Sráid Mhic Thaidhg, *Montague Street*

An tÚdar

An 21 Meán Fómhair 1866 a rugadh Herbert George Wells i gCeint Shasana. Chuir sé spéis sa léitheoireacht ach ar briseadh a chos ina óige agus a raibh air an leaba a thabhairt air féin ar feadh tamaill. Bhain sé cáilíocht mhúinteoireachta amach agus ansin céim san eolaíocht. Thosnaigh sé ag scríobh scéalta gairide grinn d'irisí agus spreag sé sin é leabhair a scríobh. Scríbhneoir an-bhisiúil go deo ba ea é. Scríobh sé breis is leathchéad úrscéal agus um chéad gearrscéal. Scríobh sé na céadta saothar eile, ina measc leabhair a bhain leis an bpolaitíocht, leis an stair, leis an tsocheolaíocht agus roinnt téacsleabhar eolaíochta. Ba iad na leabhair ficsean-eolaíochta ba mhó a thuill cáil dó, go háirithe *The Island of Doctor Moreau, The Time Machine, The First Men in the Moon* agus *The War of the Worlds*. Ainmníodh le haghaidh Dhuais Nobel sa Litríocht ceithre bhabhta é. Pósadh faoi dhó é agus bhí ceathrar leanaí air. Cailleadh in aois 79 mbliana é.

Saothar eile H.G. Wells a aistríodh go Gaeilge

Cogadh na Reann (Leon Ó Broin, 1934 – Athchló 2015)

Tír na nDall (Seán Mac Giollarnáth, gearrscéal sa leabhar Rogha na gConnachtach, 1937)

An Chéad Chuairt ar an nGealaigh (Mícheál Ó Gríobhtha, 1938)

An tInneall Ama (Risteárd Mac Annraoi, 2018)

Oileán an Dochtúra Moreau (Séamus Ó Coileáin, le foilsiú go luath)

An tAistritheoir

Is ó Áth an tSléibhe in Iarthar Luimnigh do Shéamus Ó Coileáin. Chuaigh sé ar an ollscoil i gCorcaigh. Tá sé i mbun aistriúcháin le breis is scór bliain agus múineann sé scileanna aistriúcháin do mhic léinn BA agus MA in Ollscoil na hÉireann Gaillimh. Ar na haistriúcháin eile litríochta dá chuid a foilsíodh go dtí seo, tá *An tAilceimiceoir* (Coiscéim, 2010), leagan Gaeilge de *The Alchemist* le Paulo Coelho; *Nioclás Beag: Eachtraí* agus *Nioclás Beag: Eachtraí Eile* (Dalen Éireann, 2019), leaganacha Gaeilge de dhá leabhar sa tsraith *Le Petit Nicolas* le René Goscinny agus *Asarlaí Oscartha Oz* le L. Frank Baum (2019). Chomhbhunaigh sé an suíomh idirlín Aistriulitriochta.ie in 2020, ar lár-ionad eolais don aistriú litríochta Gaeilge é.